MARIA
Mãe de Jesus

O retrato de Maria

O retrato de Maria, que exibimos na capa, foi ditado pelo Espírito Emmanuel ao fotógrafo Vicente Avela, através do médium Francisco Cândido Xavier. Este trabalho foi realizado aos poucos, em mais de 20 encontros, desde meados de 1983, com retoques sucessivos, objetivando homenagear o Dia das Mães de 1984.
O retrato revela o semblante de Maria tal como ela se apresenta quando de suas visitas às regiões perturbadas do mundo espiritual, como, por exemplo, ao vale dos suicidas.

MARIA
Mãe de Jesus

Francisco Cândido Xavier
Yvonne A. Pereira
Edison Carneiro (Organizador)

Aliança

Copyright © 2007 Todos os direitos reservados à Editora Aliança.
1ª edição, 14ª reimpressão, julho/2024, do 67º ao 70º milheiro

Título
Maria, Mãe de Jesus

Autor
Francisco Cândido Xavier
Yvonne A. Pereira
Edison Carneiro (Organizador)

Revisão
Maria Aparecida Amaral

Diagramação
Cintia Aoki

Capa
Manuel de Luques Arruda
(Retrato da capa: retrato falado de Maria, Mãe de Jesus, ditado pelo Espírito Emmanuel através do médium Francisco Cândido Xavier ao fotógrafo Vicente Avela)

Ilustração
Rosas desenhadas por Pierre Joseph Redouté

Impressão
Rettec Artes Gráficas Ltda.

Ficha Catalográfica

Dados Internacionais de Catalogação na Publicação (CIP)
— *Câmara Brasileira do Livro | SP | Brasil* —

Xavier, Francisco Cândido, 1910 - 2002.
  Maria, mãe de Jesus / Francisco C. Xavier
Yvonne A. Pereira ; Edison Carneiro
(organizador) . 2. ed.
São Paulo: Editora Aliança, 2011.

  ISBN: 978-85-88483-14-9 / 192 páginas

  1. Espiritismo 2. Maria, Virgem, Santa - Culto 3. Maria, Virgem, Santa - Interpretações espíritas 4. Psicografia I. Pereira, Yvonne A.
II. Carneiro, Edison. III. Título.

11-06029   CDD-133.93

Índice para catálogo sistemático:

1. Maria, Mãe de Jesus : Mensagens mediúnicas psicografadas : Espiritismo   133.9

Editora Aliança
Rua Major Diogo, 511 - Bela Vista - São Paulo - SP
CEP 01324-001 | Tel.: (11) 2105-2600
www.editoraalianca.com.br | editora@editoraalianca.com.br

SUMÁRIO

INTRODUÇÃO 11
TESTEMUNHO DE GRATIDÃO 15
À MULHER, ÀS MULHERES 17

1ª PARTE
A vida de Maria

MARIA TORNA-SE ESPOSA E MÃE 23
   A família de Maria 23
   Isabel 24
   O anjo Gabriel visita Maria 26
   José 27
   Maria visita Isabel 28
   O Cântico de Maria 28
   Nascimento de Jesus 30
   Os pastores 30

O FILHO DE MARIA TRAZ
ALEGRIAS E LÁGRIMAS 32
   Jesus no Templo de Jerusalém 32
   Os magos do oriente 34
   A fuga para o Egito 35
   A volta do Egito 36
   Jesus e os doutores 36

ISABEL VISITA MARIA 38
18 ANOS 43
BODAS DE CANÁ 45
   Palavras de Mãe *47*

O FILHO DE MARIA
VENCE A MORTE 49
   A prisão de Jesus *49*
   No Calvário *52*
   A fé *57*
   Ressurreição *58*

SAUDADE, TRABALHO
E ESPERANÇA 61
   Na Batanéia *61*
   Em Éfeso *63*
   Mãe Santíssima *65*
   O Evangelho de Maria *66*
   Despedidas de Paulo *68*

INDO AO CÉU 70
   Rainha dos Anjos *74*

2ª PARTE
Atividades de Maria no plano espiritual

RETRATO DE MÃE 79
A LEGIÃO DOS SERVIDORES
DE MARIA 83

O Vale dos Suicidas 84
O Hospital Maria de Nazaré 86
A Mansão da Esperança 100
Um servidor de Maria 104
A hora da Ave-Maria 109

MAIO 112

3ª PARTE
Poemas e mensagens

AVE MARIA 119
Ave Maria 120
A Ave Maria 121
Maria 122

O NOME DA VIRGEM
ERA MARIA 123
Jesus! Maria! 123
Revelação 125

ROSA MÍSTICA 126
A Virgem 126
A Maria 127
Rosa Branca 128
A Maria 129

RAINHA DO CÉU 131
Sancta Virgo Virginum 132
Invocando o amparo da
Virgem Santíssima 134
Senhora Santa Maria 134
Sancta Virgo Virginum 135

MÃE DAS MÃES 137
   Às filhas da Terra *137*
   Prece à Mãe Santíssima *138*
   Mãe *140*
   Oração de Mãe *141*
   Mãe das Mães *142*
   Lembrando Maria, Nossa Mãe *145*
   Em louvor das Mães *146*

AS MÃOS DE MARIA 149
   Mãos Celestes *149*
   Refugium Peccatorum *150*
   Prece *151*

O OLHAR DE MARIA 153
   Mater *153*
   Maria *154*
   Soneto V *155*
   Regyna Martirium *156*

O MANTO DE MARIA 157
   Súplica à Mãe Santíssima *158*
   Oração *159*
   À Virgem *161*

SOBRE HUMBERTO DE CAMPOS 165

RESUMO DA DOUTRINA ESPÍRITA 177

BIBLIOGRAFIA 185

rosa gallica regalis

$\mathcal{E}$ste é um livro ramalhete. Preces, depoimentos escritos por encarnados e desencarnados, flores brotando em corações, alegres alguns, angustiados a maioria. Mas ainda flores cheias de perfume e fé, que a você, leitor amigo, oferecemos com todo o carinho. Não pertencem a nós, damos do que não temos, mas somos irmãos e tudo a Deus pertence.

INTRODUÇÃO

Inúmeros autores ao longo da história imaginaram a vida da Mãe de Jesus apoiados nos seus ideais religiosos, esperanças e visões de mundo.

Nesta antologia procuramos silenciar a voz da imaginação, reunindo textos que consideramos fiéis à realidade, tentando montar com eles parte do mosaico que nos permita ter uma visão real de Maria. Dentro desse critério, nos valemos das seguintes fontes:

• Os evangelhos, principalmente o de Lucas, pois os Espíritos nos afirmam que, embora as inúmeras traduções e transcrições, esses textos chegaram ao nosso tempo com parcela mínima de erros e distorções.

• Mensagens transmitidas por Francisco Cândido Xavier, médium de extrema precisão e muito confiável por sua alta moralidade.

• Informações contidas no livro *Memórias de um Suicida* de Yvonne A. Pereira, por nos mostrarem a ação dos servidores de Maria, que, naturalmente, não se circunscrevem a países de tradição cristã, e nos ajudam a ter uma visão das atividades de Maria, no seu cunho universal, abstraindo características peculiares da nossa mentalidade e de nosso tempo; essas informações também contribuem para compreendermos melhor o amor maternal de Maria que alia carinho e energia, consolação e disciplina.

A ideia de retrato permeia esta pequena e despretensiosa antologia: retrato é a capa recebida pelo médium Francisco Cândido Xavier; quadros verbais são as descrições da vida de Maria, feitas principalmente por Humberto de Campos; o texto recebido mediunicamente por Yvonne nos auxilia a ver Maria retratada nas suas instituições, nascidas de seu coração e conduzidas por sua inteligência; os poemas coletados fornecem "closes" de aspectos de Maria: o olhar, as mãos, o semblante que se assemelha a uma rosa; o manto, a postura maternal, o reinado de Maria; um capítulo é dado à prece da Ave Maria.

Uma multidão de pedidos sobe aos céus a cada dia buscando o coração de Maria. Essas solicitações são de todo tipo: angustiadas, alegres, sensatas, insensatas...
Porém, o que a mãe de Jesus tem a nos dar?
Cremos que Maria tem coisas importantes a nos oferecer:

• O exemplo do acatamento da vontade de Deus, sintetizada na sua afirmação "cumpra-se em mim a vontade do Senhor".

• O exemplo de "ter Jesus no coração", significa estabelecer uma forte ligação sentimental com o governador espiritual do planeta, baseada no amor e que orienta toda a nossa vida na direção do bem; esse exemplo é marcado em duas cenas opostas: Maria plena de alegria, com o menino nos braços na estrebaria de Belém e aos pés da cruz na dolorosa cena do Calvário.

• O alimento do amor espiritual e materno que nos trará as forças necessárias para o enfrentamento das provas e lutas que aprouver a Deus nos enviar.

• A oportunidade de trabalho junto a inúmeras organizações espirituais baseadas na compaixão e ligadas aos que sofrem, seja na carne ou no mundo dos Espíritos; instituições essas que, por vezes, têm postos avançados no mundo material.

Maria é um dos Espíritos mais puros, que foram dados à humanidade conhecer; fiel a Deus, Maria não quer ser idolatrada, ou seja, não deseja que a vejamos como um ídolo, que o tempo logo destrói; solicita que a consideremos como criatura de Deus, cooperadora de Jesus na edificação do Seu Reino, que está sendo construído no coração humano, e que trabalhemos com ela na tarefa de amor que é a nossa redenção e a dos nossos irmãos de humanidade; trabalho a ser feito palavra a palavra, pensamento a pensamento, emoção a emoção, principalmente prece a prece.

TESTEMUNHO DE GRATIDÃO

A nossa mais profunda gratidão aos Espíritos que redigiram os textos que compõe esta antologia, entre os quais mencionamos com especial carinho o amigo Humberto de Campos, brasileiro e maranhense pelo coração, que com sua sensibilidade, tantos momentos de delicadeza e emoção proporcionou aos nossos corações e Camilo Castelo Branco que nos ofereceu a flor das realidades espirituais e da reconstrução moral, retiradas do solo dos próprios sofrimentos.

Beijamos também, em espírito e agradecidos, as mãos dos médiuns Francisco Cândido Xavier e Yvonne Amaral Pereira que, em meio a grandes renúncias pessoais, trouxeram até nós estes mesmos textos.

O nosso abraço carinhoso ao pintor e botânico francês Pierre Joseph Redouté[1], de cuja obra foram retiradas as rosas que ilustram este livro, e que, como Espírito, nos auxiliou na sua apresentação gráfica.

---

[1] Pierre Joseph Redouté (1759 +1840). Desprovido de fortuna e de educação formal, começou a ganhar a vida aos 13 anos, como pintor itinerante pintando de tudo, decoração de paredes, retratos, temas religiosos. Um de seus primeiros trabalhos em botânica foi a pintura do jardim de Maria Antonieta, rainha da França. Anos após, sua carreira floresceu retratando plantas de todo o mundo, em especial rosas; é mundialmente reconhecido como um mestre do desenho.

DEDICATÓRIA

À Mulher, às Mulheres

rosa gallica veriscolor

Sou filho de uma mulher, Mariana, é seu nome;
No seu útero de mulher fui gerado,
Nos seus seios de mulher amamentado,
Nos seus braços de mulher aconchegado.
Sofro, quem não sofre
De tempestades interiores?
Trovões confusos,
Eu obtuso,
Correndo em vão.
Ah! que lindo clarão
Quando em prece clamo: mamãe!

Sou filho de muitas mulheres...
Maternalmente amado
por babás, professoras, tias...
Ah, que alegria,
Quando lembro,
Os banhos de Ida,

O colo de minha tia Lica,
O mingau de minha avó Dalila,
Os doces de Dona Isabel.

Falam da valorização da mulher
Com o gosto de sangue da revolta;
Quanto a mim, velho e desgastado,
Só posso falar das mulheres
que me geraram e criaram,
que me educaram e protegeram,
enfim, que me amaram,
Pensando flores, dizendo mel, sonhando auroras,
Cantando fé e esperança.

Há mulheres da terra, que hoje estão no céu;
Há muitas mulheres, que são o céu na terra;
Símbolos alçados por Deus
Às celestiais esferas
Como bandeiras, não de pano tecidas,
Mas entretecidas
De ideais e fibras de alma.
Como são belas as mulheres de fibra!
Tintas de esperança,
Banhadas de imortalidade;
Tais são essas mulheres bandeiras,
Que meus olhos frequentemente
Veem desfraldadas no céu.

Maria Santíssima, Senhora Nossa, Mãe de Jesus,
Em lágrimas na Cruz,
Rogai por nós

Para que veneremos a Mulher.
Maria Madalena, pecadora,
Depois arrependida e santificada,
Rogai por nós
Para que tenhamos a coragem do recomeço.

Mulher pobre, a quem só restou a mendicância,
No sustento dos filhos,
Rogai por nós
Para que sejamos dignos.

Mulher operária, que caleja as mãos na
metalúrgica,
No corte da cana, no cabo da enxada,
Rogai por nós
Para que sejamos responsáveis.

Mulher funcionária, que com paciência,
Em meio a intrigas e burocracia,
Organizas o relacionamento social,
Rogai por nós
Para que organizemos nossas vidas.

Mulher mestra, que ensinas na escola rural
Ou que fazes descobertas no instituto de pesquisa,
Rogai por nós
Para que nos esforcemos na nossa autoeducação.

Mulher médica, enfermeira,
Que cura doenças, que alivia dores,
Rogai por nós

Para que valorizemos a saúde.
Mulher irmã, que fraterna, compreensiva,
É nossa amiga,
Rogai por nós
Para que sejamos solidários.

Mulher filha, que é alegria na infância,
Que é arrimo na velhice,
Rogai por nós
Para que sejamos gratos.

Mulher esposa, que rasga a monotonia da noite
Dando-nos amor e prazer,
Que floresces o deserto social
Com a bênção do lar,
Rogai por nós
Para que sejamos honrados.

Mulher Cristã, que canta hinos,
No circo romano, antes do martírio,
Rogai por nós
Para que sejamos fiéis.

Maria Santíssima, Senhora Nossa, Mãe de Jesus,
Em lágrimas na cruz,
Rogai pelas mulheres
A quem Deus confiou o mistério da vida
Para que sejam sempre dignas
De toda honra, de toda glória, de todo amor.

1ª PARTE

A Vida de Maria

Maria torna-se esposa e mãe

rosa gallica aurelianensis

A família de Maria

Não há informações a respeito dos pais de Maria, ou de como foi a sua infância e adolescência.

O que se sabe é que era judia, provavelmente filha de pais judeus, e que seu futuro marido, José, era também judeu.

Quanto aos seus familiares, o Evangelho menciona os seguintes:

Prima: Isabel, filha de Aarão, casada com Zacarias, teve um único filho: João.

Esposo: José.

Irmã: mencionada por João na cena do calvário:

"Junto à cruz estava sua mãe e a irmã de sua mãe, Maria de Cleofas e Maria Madalena".[2]
Filho: Jesus.
A questão se Maria teve outros filhos, ou não, é examinada no correr desta obra.
O Evangelho de Lucas, logo no início, apresenta o casal Zacarias e Isabel.

Isabel

Existiu no tempo de Herodes, rei da Judéia um sacerdote chamado Zacarias, da ordem de Abdias e cuja mulher era uma das filhas de Aarão e seu nome era Isabel; não tinham filhos porque Isabel era estéril e ambos eram de idade avançada.

Exercendo Zacarias o seu sacerdócio diante de Deus, na ordem de sua turma, foi sorteado para entrar no templo e oferecer o incenso.

Havia uma multidão, do lado de fora, orando, nesta hora; um anjo do Senhor (Espírito) apareceu a Zacarias, de pé, à direita do altar. Zacarias, vendo-o, perturbou-se e ficou atemorizado, mas o anjo lhe disse:

— Zacarias, não tema, porque a sua oração foi ouvida, e Isabel sua mulher, dará à luz um filho e você lhe porá o nome de João. Você terá prazer e alegria e muitos se alegrarão no seu nascimento, porque ele será grande diante do Senhor, e não beberá vinho, nem bebida forte,

---
[2] Evangelho segundo João, cap. 19.

e será cheio do Espírito Santo[3], já desde o ventre de sua mãe. Converterá muitos dos filhos de Israel ao Senhor seu Deus; irá adiante dele no espírito e virtude de Elias[4], para converter os corações dos pais aos filhos, e os rebeldes à prudência dos justos, com o fim de preparar para o Senhor um povo com disposição.

Disse então Zacarias ao anjo:

— Como vou saber? Já sou velho e minha mulher é de idade avançada.

Respondeu-lhe o anjo:

— Eu sou Gabriel, que assisto diante de Deus, e fui enviado a falar a você e dar-lhe essas alegres notícias. Você ficará mudo e não poderá falar até o dia em que estas coisas acontecerem, porque você não acreditou nas minhas palavras, que a seu tempo se cumprirão.

O povo estava esperando do lado de fora e admirava-se do tanto que Zacarias estava demorando dentro do templo.

Quando saiu, não podia falar, porém, eles entenderam que tinha tido alguma visão dentro do templo, e comunicava-se com gestos, tendo permanecido mudo. Terminados os dias de seu ministério voltou para casa.

Depois daqueles dias Isabel ficou grávida e por cinco meses se ocultou, dizendo:

— Assim me fez o Senhor, nos dias em que atentou em mim para destruir minha vergonha[5] entre os homens.

---

[3] Estar cheio do Espírito Santo é ser intermediário (ou médium) dos Espíritos santificados.

[4] João é Elias reencarnado.

[5] Na cultura judaica, naquela época, era vergonhoso para uma mulher ser estéril; assim como Deus de forma oculta preparava o fim de sua discriminação social, ela também resolveu ocultar a sua gravidez.

O anjo Gabriel visita Maria

No sexto mês da gravidez de Isabel, foi o anjo Gabriel enviado por Deus a uma cidade da Galiléia, chamada Nazaré, a uma virgem, prima de Isabel, desposada com um varão chamado José, da casa de Davi; o nome da virgem era Maria.

Entrando o anjo onde ela estava, disse:

— Ave Maria, cheia de graça, o senhor é contigo, bendita és tu entre as mulheres.

Vendo o anjo, Maria turbou-se muito com aquelas palavras, e considerava que saudação seria esta.

Disse-lhe então o anjo: Maria, não tema porque você achou-se agraciada diante de Deus; em seu ventre conceberá e dará à luz um filho e lhe porá o nome de Jesus. Ele será grande, será chamado Filho do Altíssimo e o Senhor Deus lhe dará o trono de Davi, seu pai, e reinará eternamente na casa de Jacó e o seu reino não terá fim.

Disse Maria ao anjo:

— Como se fará isto, se não conheço nenhum varão?[6]

O anjo respondeu:

— Descerá sobre você o Espírito Santo, e a virtude do altíssimo a cobrirá com a sua sombra, pelo que também o Santo que de você há de nascer será chamado Filho de Deus.

---

[6] Ou seja, nunca se relacionou com um homem.

Também Isabel, sua prima, concebeu um filho na velhice, e este é o sexto mês para aquela que era chamada estéril, porque para Deus nada é impossível.

Disse então Maria:

— Eis aqui a serva do Senhor; cumpra-se em mim segundo a sua palavra.

E o anjo retirou-se da sua presença.[7]

José

Estando Maria, sua mãe, desposada com José, antes de coabitarem, achou-se concebida do Espírito Santo. Então José, seu marido, como era justo, e não querendo difamá-la, teve a intenção de deixá-la secretamente.

Tendo feito este projeto, apareceu-lhe, em sonho, um anjo do Senhor e disse:

— José, filho de Davi, não temas receber Maria como tua esposa, porque o que nela foi concebido o foi por obra do Espírito Santo. Ela dará à luz um filho, a quem chamarás "Jesus"[8], porque ele salvará o seu povo de seus pecados.

Tudo isto aconteceu para que se cumprisse o que foi dito pelo Senhor através do profeta Isaías: "Eis que a virgem conceberá e dará à luz um filho, e chamá-lo-ão de "Emanuel", que quer dizer: Deus Conosco".

José, após despertar do sono, fez como o anjo do Senhor lhe havia ordenado e recebeu Maria como sua esposa.

---

[7] Evangelho segundo Lucas, cap. 1.
[8] Jesus significa Salvador.

E não a teve como mulher, até que Maria desse à luz o filho primogênito, que se chamou Jesus.⁹

Maria visita Isabel

Naqueles dias, levantando-se, Maria foi apressada às montanhas, a uma cidade de Judá, entrou na casa de Zacarias e saudou sua prima Isabel.

Aconteceu que, ao ouvir Isabel a saudação de Maria, a criancinha saltou no seu ventre e Isabel foi envolvida por um Espírito santo e exclamou com grande voz:

— Bendita és tu entre as mulheres, bendito é o fruto do teu ventre! Donde provém a mim que me venha visitar a mãe do meu Senhor?

Pois eis que ao chegar aos meus ouvidos a voz da tua saudação, a criancinha saltou de alegria no meu ventre.

Bem-aventurada a que acreditou, pois hão de cumprir-se as coisas que da parte do Senhor lhe foram ditas.¹⁰

O cântico de Maria

Maria compôs então a seguinte canção:
A minha alma engrandece ao Senhor,
Exulta meu espírito em Deus,
Em meu Salvador.

---

[9] Evangelho segundo Mateus, cap. 1.
[10] Evangelho segundo Lucas, cap. 1.

Pôs os olhos na humildade de sua serva;
Doravante todas as gerações
Me chamarão bem-aventurada.

O Onipotente me fez grandes coisas,
Santo é o seu nome.

Sua misericórdia perdura.
De geração em geração
Sobre aqueles que O obedecem.

Seu poder fez obras de valor,
Dispersou os pensamentos de orgulho
Nos corações.

Rebaixou os poderosos de seus tronos,
Elevou os humildes.
Cumulou de bens os famintos
Despediu vazios os saciados.

Auxiliou a Israel, seu servo,
Recordando sua misericórdia,
Conforme Sua Eterna Promessa
A Abraão e seus descendentes.

Maria permaneceu com Isabel mais ou menos três meses e voltou para a sua casa.[11]

---
[11] Evangelho segundo Lucas, cap. 1.

Nascimento de Jesus

Aconteceu naqueles dias que saiu um decreto da parte de César Augusto, para que todos se alistassem. Este primeiro recenseamento foi feito sendo Cirênio governador da Assíria.

Todos deviam se alistar, cada um na sua própria cidade.

José subiu da Galiléia, da cidade de Nazaré, a Belém da Judéia, chamada cidade de Davi, pois era da casa e família de Davi, para também alistar-se com Maria, sua mulher, que estava grávida.

Aconteceu que, estando ali, cumpriram-se os dias em que ela havia de dar à luz. E ela deu à luz seu filho primogênito, envolveu-o em alguns panos e deitou-o numa manjedoura, porque não havia lugar para eles na estalagem.[12]

Os pastores

Na mesma região havia pastores que guardavam seus rebanhos durante as vigílias da noite. Eis que o anjo do Senhor veio sobre eles e a glória do Senhor os cercou de uma grande luz, e eles tiveram medo.

O anjo lhes disse:

— Não tenham medo, porque eu trago a vocês notícias de grande alegria para todo o povo. Na cidade de Davi

---
[12] Evangelho segundo Lucas, cap. 1.

nasceu, para vocês, hoje, o Salvador, que é Cristo, o Senhor. Isto servirá de sinal para encontrá-lo, vocês acharão um menino envolto em panos, deitado numa manjedoura.

No mesmo instante apareceu com o anjo uma multidão de exércitos celestiais, que louvava a Deus, e dizia:

— Glória a Deus nas alturas e paz e boa vontade para com os homens.

Quando os anjos partiram em direção ao céu, os pastores disseram:

— Vamos já a Belém e vejamos o que aconteceu, o que o Senhor nos deu a conhecer.

Foram então às pressas e encontraram Maria, José e o recém-nascido deitado na manjedoura.

Vendo-o, divulgaram as palavras que lhes foram ditas a respeito do menino. Todos que as ouviam se maravilhavam do que os pastores diziam.

Maria guardava todas estas coisas cuidadosamente no seu coração.

E os pastores voltaram aos seus rebanhos, glorificando a Deus por tudo o que viram e ouviram.[13]

---

[13] Evangelho segundo Lucas, cap. 2.

Edison Carneiro

O filho de Maria traz alegrias e lágrimas

rosa gallica stapeliaeflora

Jesus no Templo de Jerusalém

Quando os oito dias foram cumpridos para circuncidar o menino, foi-lhe dado o nome de Jesus, que pelo anjo lhe fora posto antes de ser concebido. Cumprindo-se os dias da purificação, segundo a lei de Moisés, o levaram a Jerusalém, para o apresentarem ao Senhor, segundo o que está escrito na lei do Senhor: "Todo o macho primogênito será consagrado ao Senhor", e para darem a oferta que está disposta na lei do Senhor: "um par de rolas ou dois pombinhos".

Havia em Jerusalém um homem, cujo nome era Simeão; esse homem era justo e temente a Deus, esperando a consolação de Israel e o Espírito Santo estava sobre ele. Fora-lhe revelado, por um Espírito santificado, que ele não morreria antes de ter visto o Cristo do Senhor. E neste dia foi conduzido por um Espírito ao templo. Quando os pais trouxeram o menino Jesus, para com ele procederem conforme os usos da lei, Simeão o tomou em seus braços, louvou a Deus, dizendo:

— Agora, Senhor, despede em paz o teu servo, segundo a tua palavra, pois meus olhos já viram a salvação, que tu preparastes perante a face de todos os povos, luz para iluminar as nações e para glória de teu povo Israel.

José e Maria se maravilhavam das coisas que se diziam do menino.

Simeão os abençoou, e disse a Maria, sua mãe:

— Eis que este menino é posto para queda e elevação de muitos em Israel, e como um sinal de contradição. E uma espada trespassará a tua alma, Maria, para que se manifestem os pensamentos de muitos corações.

Estava ali a profetiza Ana, filha de Fanuel, da tribo de Aser. Ana era idosa, fora casada por sete anos, agora era viúva, tinha oitenta e quatro anos e não se afastava do templo, servindo a Deus, dia e noite em jejuns e orações.Como chegasse na mesma hora, agradecia a Deus e falava do menino a todos que esperavam a redenção de Jerusalém.[14]

---

[14] Evangelho segundo Lucas, cap. 2.

Os magos do Oriente

Jesus nasceu em Belém da Judéia quando reinava o Rei Herodes.

Alguns magos vieram do Oriente a Jerusalém, e diziam:

— Onde está o rei dos judeus que nasceu? Vimos sua estrela no Oriente e viemos adorá-lo.

Tendo isso chegado aos ouvidos do rei Herodes, ele e toda a Jerusalém se perturbaram. Reunindo os príncipes, sacerdotes e escribas, perguntou-lhes onde haveria de nascer o Cristo. Eles responderam:

— Em Belém da Judéia, porque assim está escrito pelo profeta Miquéias: "Tu Belém, terra de Judá, de modo nenhum és a menor entre as capitais de Judá, porque de ti sairá o guia que apascentará o meu povo de Israel".

Herodes, então, chamou secretamente os magos e inquiriu-os, exatamente, quando a estrela lhes aparecera. A seguir enviou-os a Belém, dizendo-lhes:

— Vão e perguntem diligentemente pelo menino, e quando o acharem, participem-me para que eu vá até lá e o adore.

Após ouvirem o rei, partiram.

A estrela que tinham visto no Oriente, ia na frente deles, até que chegando, deteve-se sobre o lugar onde estava o menino. Vendo a estrela, ficaram muito, imensamente, alegres.

Entrando no lugar, encontraram o menino com Maria sua mãe. Prostrando-se o adoraram, após o que, abrindo os seus tesouros lhe ofertaram as dádivas de ouro, incenso e mirra.

Tendo sido avisados em sonhos para que não se aproximassem de Herodes, partiram para sua terra por outro caminho.[15]

A fuga para o Egito

Após a partida dos magos, o anjo do Senhor apareceu a José em sonhos e disse:

— Levanta-te, toma o menino e sua mãe e foge para o Egito, e fica lá até que eu te diga, porque Herodes procurará o menino para matá-lo.

José levantou-se, tomou o menino e sua mãe, e à noite partiu para o Egito. Ficou lá até a morte de Herodes. E cumpriu-se o que foi dito pelo Senhor pela boca do profeta Oséias: "Do Egito chamei meu Filho".

Porém, Herodes vendo que havia sido enganado pelos magos, irritou-se muito, e mandou matar todos os meninos de Belém e suas redondezas que tivessem dois anos ou menos, tomando como base o tempo que obtivera dos magos.

Cumpriu-se então o que foi predito pelo profeta Jeremias: "em Ramá se ouviu vozes, lamentos, choro, grande pranto. Raquel chora os seus filhos, não quer ser consolada, porque já não existem".[16]

---

[15] Evangelho segundo Lucas, cap. 2.
[16] Evangelho segundo Lucas, cap. 2.

A volta do Egito

Morto Herodes, o anjo do Senhor apareceu num sonho a José no Egito, dizendo:

— Levanta-te, toma o menino e sua mãe, e vai para a terra de Israel, pois já estão mortos os que procuravam matar o menino.

José levantou-se, tomou o menino e sua mãe e foi para a terra de Israel. Ouvindo, porém, que Arquelau reinava na Judéia, receou ir para lá. Avisado em sonhos por divinas revelações foi para a Galiléia.

Lá chegando, foi habitar numa cidade chamada Nazaré, para que se cumprisse o que foi predito pelo profeta Isaías: "Ele será chamado Nazareno".[17]

Jesus e os doutores

Seus pais iam todos os anos a Jerusalém para a festa da Páscoa. Quando o menino completou 12 anos, segundo o costume, subiram para a festa. Terminados os dias eles voltaram, mas o menino Jesus ficou em Jerusalém, sem que os seus pais o notassem.

Pensando que ele estivesse na caravana, andaram o caminho de um dia, e puseram-se a procurá-lo entre os parentes e conhecidos. Não o encontrando voltaram a Jerusalém à sua procura.

---

[17] Evangelho segundo Lucas, cap. 2.

Três dias depois o encontraram no Templo, sentado no meio dos doutores, ouvindo-os e interrogando-os, e todos os que o ouviam ficavam extasiados com a sua inteligência e com as suas respostas.

Ao vê-lo, seus pais ficaram surpresos, e sua mãe lhe disse:

— Meu filho, por que agiste assim conosco? Olha teu pai e eu, aflitos, te procurávamos.

Ele respondeu:

— Por que me procuravam? Não sabiam que devo estar na casa do meu Pai?

Eles, porém, não compreenderam a palavra que lhes dissera.

Desceu então com eles para Nazaré e era-lhes submisso.

Sua mãe, porém, conservava a lembrança de todos esses fatos em seu coração.

Jesus crescia em sabedoria, estatura e graça diante de Deus e dos homens.[18]

---

[18] Evangelho segundo Lucas, cap. 2.

Isabel visita Maria

rosa gallica maheka
flore subsimplici

Após a famosa apresentação de Jesus aos doutores do Templo de Jerusalém, Maria recebeu a visita de Isabel e de seu filho, em sua casinha pobre de Nazaré.

Depois das saudações habituais, do desdobramento dos assuntos familiares, as duas primas entraram a falar de ambas as crianças, cujo nascimento fora antecipado por acontecimentos singulares e cercado de estranhas circunstâncias. Enquanto o patriarca José atendia às últimas necessidades diárias de sua oficina humilde, entretinham-se as duas em curiosa palestra, trocando carinhosamente as mais ternas confidências maternais.

— O que me espanta – dizia Isabel com caricioso sorriso – é o temperamento de João, dado às mais fundas meditações, apesar da sua pouca idade. Não raro, procuro-o inutilmente em casa, para encontrá-lo, quase sempre, entre as figueiras bravas, ou caminhando ao longo das estradas adustas, como se a pequena fronte estivesse dominada por graves pensamentos.

— Essas crianças, a meu ver – respondeu-lhe Maria, intensificando o brilho suave de seus olhos –, trazem para a Humanidade a luz divina de um caminho novo. Meu filho também é assim, envolvendo-me o coração numa atmosfera de incessantes cuidados. Por vezes, vou encontrá-lo a sós, junto das águas, e, de outras, em conversação profunda com os viajantes que demandam a Samaria ou as aldeias mais distantes, nas adjacências do lago. Quase sempre, surpreendo-lhe a palavra caridosa que dirige às lavadeiras, aos transeuntes, aos mendigos sofredores... Fala de sua comunhão com Deus com uma eloquência que nunca encontrei nas observações dos nossos doutores e, constantemente, ando a cismar, em relação ao seu destino.

Apesar de todos os valores da crença – murmurou Isabel, convicta –, nós, as mães, temos sempre o Espírito abalado por injustificáveis receios.

Como se deixasse empolgar por amorosos temores, Maria continuou:

Ainda há alguns dias, estivemos em Jerusalém, nas comemorações costumeiras, e a facilidade de argumentação com que Jesus elucidava os problemas, que lhe eram apresentados pelos orientadores do templo, nos deixou a todos receosos e perplexos. Sua ciência não pode ser deste mundo, vem de Deus, que certamente se manifesta por seus lábios amigos da pureza. Notando-lhe as respostas, Eleazar chamou José, em particular, e o advertiu de que o menino parece haver nascido para a perdição de muitos poderosos em Israel.

Com a prima a lhe escutar atentamente a palavra, Maria prosseguiu, de olhos úmidos, após ligeira pausa:

Ciente desse aviso, procurei Eleazar, a fim de interceder por Jesus, junto de suas valiosas relações com as autoridades do templo. Pensei na sua infância desprotegida e receio pelo seu futuro. Eleazar prometeu interessar-se pela sua sorte, todavia, de regresso a Nazaré, experimentei singular multiplicação dos meus temores. Conversei com José, mais detidamente, acerca do pequeno, preocupada com o seu preparo conveniente para a vida!... Entretanto, no dia que se seguiu às nossas íntimas confabulações, Jesus se aproximou de mim, pela manhã, e me interpelou: — "Mãe, que queres tu de mim? Acaso não tenho testemunhado a minha comunhão com o Pai que está no Céu?!". Altamente surpreendida com a sua pergunta, respondi-lhe, hesitante: Tenho cuidado por ti, meu filho! Reconheço que necessitas de um preparo melhor para a vida... Mas, como se estivesse em pleno conhecimento do que se passava em meu íntimo, ponderou ele: — "Mãe, toda a preparação útil e generosa no mundo é preciosa, entretanto, eu já estou com Deus. Meu Pai, porém, deseja de nós toda a exemplificação que seja boa e eu escolherei, desse modo, a escola melhor". No mesmo dia, embora soubesse das belas promessas que os doutores do templo fizeram na sua presença a seu respeito, Jesus aproximou-se de José e lhe pediu, com humildade, que o admitisse em seus trabalhos. Desde então, como se nos quisesse ensinar que a melhor escola para Deus é a do Lar e a do esforço próprio – concluiu a palavra materna com singeleza –, ele aperfeiçoa as madeiras da oficina, empunha o martelo e a enxó, enchendo a casa de ânimo, com a sua doce alegria!

Isabel lhe escutava atenta à narrativa e, depois de outras pequenas considerações materiais, ambas observaram que as primeiras sombras da noite desciam na paisagem, acinzentando o céu sem nuvens.

A carpintaria já estava fechada e José buscava a serenidade do interior doméstico para o repouso.

As duas mães se entreolharam, inquietas, e perguntavam a si próprias para onde teriam ido as duas crianças.

Nazaré, com a sua paisagem, das mais belas de toda a Galiléia, é talvez o mais formoso recanto da Palestina. Suas ruas humildes e pedregosas, suas casas pequeninas, suas lojas singulares se agrupam numa ampla concavidade em cima das montanhas, ao norte do Esdrelon. Seus horizontes são estreitos e sem interesse, contudo, os que sobem um pouco além, até onde se localizam as casinholas mais elevadas, encontrarão para o olhar assombrado as mais formosas perspectivas. O céu parece alongar-se, cobrindo o conjunto maravilhoso, numa dilatação infinita.

Maria e Isabel avistaram seus filhos, lado a lado, sobre uma eminência banhada pelos derradeiros raios vespertinos. De longe, afigurou-se-lhes que os cabelos de Jesus esvoaçavam ao sopro caricioso das brisas do alto. Seu pequeno indicador mostrava a João as paisagens que se multiplicavam a distância, como um grande general que desse a conhecer as minudências dos seus planos a um soldado de confiança. Ante seus olhos surgiam as montanhas da Samaria, o cume de Magedo, as eminências de Gelboé, a figura esbelta do Tabor, onde, mais tarde, ficaria inesquecível o instante da Transfiguração, o vale do rio sagrado do Cristianismo, os cumes de Safed, o golfo de Khalfa, o elevado cenário do Pereu, num soberbo conjunto de montes e vales, ao lado das águas cristalinas.

Quem poderia saber qual a conversação solitária que se travara entre ambos? Distanciados no tempo, devemos presumir que fosse, na Terra, a primeira combinação entre o amor e a verdade, para a conquista do mundo. Sabemos, porém, que na manhã imediata, partindo o precursor na carinhosa companhia de sua mãe, perguntou Isabel a Jesus, com gracioso interesse: — Não queres vir conosco? – ao que o pequeno carpinteiro de Nazaré respondeu, profeticamente, com inflexão de profunda bondade: — "João partirá primeiro".

Humberto de Campos[19]

---

[19] Boa Nova - Humberto de Campos/Francisco Cândido Xavier - Feb

18 anos

rosa gallica flore marmoreo

O Novo Testamento não nos dá notícias do período de 18 anos, que medeia entre os 12 anos de Jesus e o início de sua vida pública aos 30 de idade.

Alguns acham que a hipótese de, durante este período, Jesus ter se dedicado ao trabalho na carpintaria em auxílio aos pais, seria um exemplo menor. No entanto, reflitamos: para aquele que disse "Meu Pai trabalha até agora e eu trabalho também", esse exemplo não seria harmonioso com o resto de sua vida de humildade e dedicação absoluta ao bem?

E nesse intervalo o que teria acontecido com Maria? Teria tido outros filhos carnais?

O Novo Testamento é vago sobre este ponto. Mateus menciona referências a irmãos de Jesus, quando pregava na sua terra:

"Chegando Jesus à sua pátria, ensinava nas sinagogas, de maneira que se admiravam e diziam:

— Não é este o filho do carpinteiro? Não se chama Maria, a sua Mãe? Seus irmãos não são: Tiago, José, Simeão e Judas? Não estão entre nós suas irmãs?".

Três explicações são possíveis:

1- Na língua de então a mesma palavra designava tanto o que chamamos hoje de primos, quanto o que chamamos de irmãos. Neste caso os "irmãos" de Jesus seriam seus primos.

2- José, o esposo de Maria, seria casado em segundas núpcias, neste caso os "irmãos" de Jesus seriam apenas por parte de pai.

3- Maria teria tido outros filhos depois de Jesus.

O organizador deste pequeno trabalho, escolhe, em caráter pessoal, a explicação número 1, embora o fato de ter mais filhos em nada desmerecesse a Mãe de Jesus; a prole extensa só engrandece a mulher.

Mais importante é que Maria, pelos laços do coração, é mãe de toda a humanidade.

No Novo Testamento, após o início da vida pública de Jesus, há uma única e breve menção a José, feita em Mateus, o que levaria a crer que ele partira para a pátria espiritual no intervalo que medeia entre os 12 e os 30 anos de Jesus.

No início do Evangelho de João, Maria está junto a Jesus, no primeiro prodígio registrado no Novo Testamento, que é a transformação da água em vinho, nas bodas de Caná.

Bodas de Caná

rosa gallica flore giganteo

E três dias depois deu-se um banquete
De noivado em Caná da Galiléia;
E era a mãe de Jesus ali presente.

Convidado também com seus discípulos
Às bodas foi Jesus. E como houvesse
Faltado vinho no correr da festa,
Maria, sua mãe, assim lhe disse:
— "Eles vinho não têm".

— "Mulher", de pronto
Respondeu-lhe Jesus por esses termos:
— "O que existe entre nós?... Inda chegada
Não é a minha hora."

Aos que serviam
Disse à mãe de Jesus:
— "Fazei vós outros
O que ele vos disser."

Ora, de pedras
Existiam ali umas seis talhas,
Que às purificações se destinavam,
Conforme a usança entre os judeus, medindo
Cada uma de dois a três almudes.[20]
Jesus aos servos disse:
— "Enchei-as d'água".
E todas elas foram cheias logo
Pelos servos da casa até as bordas.
Então disse Jesus:

— "Tirai desta água,
E levai-a ao senhor, que dela beba".
E eles a levaram. Já provando-a
E sentindo-a mudada em puro vinho,
Mas não sabendo donde tal viera,
Se bem que os servos, que puseram a água,
O soubessem, chamou ao esposo e disse
Assim o Arquitriclino[21]:

— "Todo homem
põe primeiro o bom vinho em sua mesa,
E quando os convidados têm bebido
Quanto baste a fartar, então lhes serve
Do pior; tu, porém, pelo contrário,
O vinho bom para o final guardaste."

Foi este dos milagres o primeiro
Que Jesus praticou; e a sua glória

---

[20] 1 Almude = 24 litros.
[21] Arquitriclino = Mordomo.

Fez assim conhecida: e os seus discípulos
Creram nele.

Depois, então, desceram
Jesus e sua mãe – indo com ele
Também os seus irmãos e os seus discípulos,
Para Cafarnaum; mas, pouco tempo
Ali se demoraram, que era próxima
A páscoa dos Judeus. Logo partindo,
Para Jerusalém foram-se todos.[22]

Palavras de Mãe

"Sua mãe disse aos serventes: Fazei tudo quanto ele vos disser."(João 2,5)

O Evangelho é roteiro iluminado do qual Jesus é o centro divino. Nessa Carta de Redenção, rodeando-lhe a figura celeste, existem palavras, lembranças, dádivas e indicações muito amadas dos que lhe foram legítimos colaboradores no mundo.

Recebemos aí recordações amigas de Paulo, de João, de Pedro, de companheiros outros do Senhor, e que não poderemos esquecer.

Temos igualmente no Documento Sagrado, reminiscências de Maria. Examinemos suas preciosas palavras em Caná, cheias de sabedoria e amor materno.

---
[22] Evangelho segundo João, cap. 2/*A Divina Epopéia* - Bittencourt Sampaio - Feb.

Geralmente, quando os filhos procuram a carinhosa intervenção de mãe é que se sentem órfãos de ânimo ou necessitados de alegria. Por isso mesmo, em todos os lugares do mundo, é comum observarmos filhos discutindo com os pais e chorando ante corações maternos.

Interpretada com justiça por anjo tutelar do Cristianismo, às vezes é com imensas aflições que recorremos a Maria.

Em verdade, o versículo do apóstolo João não se refere a paisagens dolorosas. O episódio ocorre numa festa de bodas, mas podemos aproveitar-lhe a sublime expressão simbólica.

Também nós estamos na festa de noivado do Evangelho com a Terra. Apesar dos quase vinte séculos decorridos, o júbilo ainda é de noivado, porquanto não se verificou até agora a perfeita união... nesse grande concerto da ideia renovadora, somos serventes humildes. Em muitas ocasiões, esgota-se o vinho da esperança. Sentimo-nos extenuados, desiludidos... Imploramos ternura maternal e eis que Maria nos responde: Fazei tudo quanto ele vos disser.

O conselho é sábio e profundo e foi colocado no princípio dos trabalhos de salvação.

Escutando semelhante advertência de Mãe, meditemos se realmente estaremos fazendo tudo quanto o Mestre nos disse.

Emmanuel[23]

---

[23] *Caminho, Verdade e Vida* - Emmanuel/Francisco Cândido Xavier - Feb

O filho de Maria vence a morte

rosa gallica gueridiana

A prisão de Jesus

Quando João, o discípulo amado veio ter com Maria, anunciando-lhe a detenção do Mestre, o coração materno, consternado, recolheu-se ao santuário da prece e rogou ao Senhor Supremo que poupasse o filho querido. Não era Jesus o Embaixador Divino? Não recebera a notificação dos anjos, quanto à sua condição celeste?... Seu filho amado nascera para a salvação dos oprimidos... Ilustraria o nome de Israel, seria o rei diferente, cheio de amoroso poder. Curava leprosos, levantava paralíticos sem esperança. A ressurreição de Lázaro, já sepultado, não bastaria para elevá-lo ao cume da glorificação?

E Maria confiou ao Deus de Misericórdia suas preocupações e súplicas, esperando-lhe a providência, entretanto, João voltou em horas breves, para dizer-lhe que o Messias fora encarcerado.

A Mãe Santíssima regressou à oração em silêncio. Em pranto, implorou o favor do Pai Celestial. Confiaria Nele.

Desejava enfrentar a situação, desassombradamente, procurando as autoridades de Jerusalém. Mas, humilde e pobre, que conseguiria dos poderosos da Terra? E, acaso, não contava com a proteção do Céu? Certamente, o Deus de Bondade Infinita, que seu filho revelara ao mundo, salvá-lo-ia da prisão, restituí-lo-ia à liberdade.

Maria manteve-se vigilante. Afastando-se da casa modesta a que se recolhera, ganhou a rua e intentou penetrar o cárcere, todavia, não conseguiu comover o coração dos guardas.

Noite alta, velava, súplice, entre a angústia e a confiança. Mais tarde, João voltou, comunicando-lhe as novas dificuldades surgidas. O Mestre fora acusado pelos sacerdotes. Estava sozinho. E Pilatos, o administrador romano, hesitando entre os dispositivos da lei e as exigências do povo, enviara o Mestre à consideração de Herodes[24].

Maria não pôde conter-se. Segui-lo-ia de perto.

Resoluta, abrigou-se num manto discreto e tornou à via pública, multiplicando as rogativas ao Céu, em sua maternal aflição. Naturalmente, Deus modificaria os acontecimentos, tocando a alma de Ântipas. Não duvidaria um instante. Que fizera seu filho para receber afrontas? Não reverenciava a lei? Não espalhava sublimes consolações? Amparada pela convertida de Magdala, al-

---

[24] O Herodes aqui referenciado é o Rei Herodes Ântipas, Tetrarca da Galileia e da Pereia. Quem participou dos acontecimentos envolvendo o nascimento de Jesus foi seu pai, Herodes o Grande.

cançou as vizinhanças do palácio do Tetrarca. Oh! infinita amargura! Jesus fora vestido com uma túnica de ironia e ostentava, nas mãos, uma cana suja à maneira de cetro e, como se isso não bastasse, fora também coroado de espinhos!... Ela quis aproximar-se a fim de libertar-lhe a fronte sangrenta e arrebatá-lo da situação dolorosa, mas o filho, sereno e resignado, endereçou-lhe o olhar mais significativo de toda a existência. Compreendeu que ele a induzia à oração e, em silêncio, lhe pedia confiança no Pai. Conteve-se, mas o seguiu em pranto, rogando a intervenção divina. Impossível que o Pai não se manifestasse. Não era seu filho o escolhido para a salvação? Não era ele a luz de Israel, o sublime revelador? Lembrou-lhe a infância, amparada pelos anjos... Guardava a impressão de que a Estrela Brilhante, que lhe anunciara o nascimento ainda resplandecia no alto!...

A multidão estacou, de súbito. Interrompera-se a marcha para que o governador romano se pronunciasse em definitivo.

Maria confiava. Quem sabe chegara o instante da ordem de Deus? O Supremo Senhor poderia inspirar diretamente o juiz da causa.

Após ansiedades longas, Pôncio Pilatos, num esforço extremo para salvar o acusado, convidou a turba farisaica a escolher entre Jesus, o Divino Benfeitor, e Barrabás, o bandido. O coração materno asilou esperanças mais fortes. O povo ia falar e o povo devia muitas bênçãos ao seu filho querido. Como equiparar o Mensageiro do Pai ao malfeitor cruel que todos conheciam? A multidão, porém, manifestou-se, pedindo a liberdade para Barrabás e a crucificação para Jesus. Oh! – pensou a mãe atormentada – onde está o Eterno que não me ouve as orações? Onde permanecem os anjos que me falavam em luminosas promessas?

Em copioso pranto, viu seu filho vergado ao peso da cruz. Ele caminhava com dificuldade, corpo trêmulo pelas vergastadas recebidas e, obedecendo ao instinto natural, Maria avançou para oferecer-lhe auxílio. Contiveram-na, todavia, os soldados que rodeavam o Condenado Divino.

Angustiada, recordou-se repentinamente de Abraão. O generoso patriarca, noutro tempo, movido pela voz de Deus, conduzira o filho amado ao sacrifício. Seguira Isaac inocente, dilacerado de dor, atendendo a recomendação de Jeová, mas, eis que no instante derradeiro, o Senhor determinou o contrário, e o pai de Israel regressara ao santuário doméstico em soberano triunfo. Certamente, o Deus Compassivo escutava-lhe as súplicas e reservava-lhe júbilo igual. Jesus desceria do Calvário, vitorioso, para o seu amor, continuando no apostolado da redenção; no entanto, dolorosamente surpreendida, viu-o içado no madeiro, entre ladrões.

Oh! a terrível angústia daquela hora!... Por que não a ouvira o Poderoso Pai? Que fizera para não lhe merecer a bênção?

Humberto de Campos[25]

No Calvário

Junto da cruz, o vulto agoniado de Maria produzia dolorosa e indelével impressão. Com o pensamento

---
[25] *Lázaro Redivivo* - Humberto de Campos/Francisco Cândido Xavier - Feb

ansioso e torturado, olhos fixos no madeiro das perfídias humanas, a ternura materna regredia ao passado em amarguradas recordações. Ali estava, na hora extrema, o filho bem-amado.

Maria deixava-se ir na corrente infinda das lembranças. Eram as circunstâncias maravilhosas em que o nascimento de Jesus lhe fora anunciado, a amizade de Isabel, as profecias do velho Simeão, reconhecendo que a assistência de Deus se tornara incontestável nos menores detalhes de sua vida. Naquele instante supremo, revia a manjedoura, na sua beleza agreste, sentindo que a Natureza parecia desejar redizer aos seus ouvidos o cântico de glória daquela noite inolvidável. Através do véu espesso das lágrimas, repassou, uma por uma, as cenas da infância do filho estremecido, observando o alarma interior das mais doces reminiscências.

Nas menores coisas, reconhecia a intervenção da Providência celestial, entretanto, naquela hora, seu pensamento vagava também pelo vasto mar das mais aflitivas interrogações.

Que fizera Jesus por merecer tão amargas penas? Não o vira crescer de sentimentos imaculados, sob o calor de seu coração? Desde os mais tenros anos, quando o conduzia à fonte tradicional de Nazaré, observava o carinho fraterno que dispensava a todas as criaturas. Frequentemente, ia buscá-lo nas ruas empedradas, onde a sua palavra carinhosa consolava os transeuntes desamparados e tristes. Viandantes misérrimos vinham à sua casa modesta louvar o filhinho idolatrado, que sabia distribuir as bênçãos do Céu. Com que enlevo recebia os hóspedes inesperados que suas mãos minúsculas conduziam à carpintaria de

José!... Lembrava se bem de que, um dia, a divina criança guiara à casa dois malfeitores publicamente reconhecidos como ladrões do vale de Mizhep. E era de ver-se a amorosa solicitude com que seu vulto pequenino cuidava dos desconhecidos, como se fossem seus irmãos. Muitas vezes, comentara a excelência daquela virtude santificada, receando pelo futuro de seu adorável filhinho.

Depois do caricioso ambiente doméstico, era a missão celestial, dilatando-se em colheita de frutos maravilhosos. Eram paralíticos que retomavam os movimentos da vida, cegos que se reintegravam nos sagrados dons da vista, criaturas famintas de luz e de amor que se saciavam na sua lição de infinita bondade.

Que profundos desígnios haviam conduzido seu filho adorado à cruz do suplício?

Uma voz amiga lhe falava ao Espírito, dizendo das determinações insondáveis e justas de Deus, que precisam ser aceitas para a redenção divina das criaturas. Seu coração rebentava em tempestades de lágrimas irreprimíveis, contudo, no santuário da consciência, repetia a sua afirmação de sincera humildade: — "Faça-se na escrava a vontade do Senhor!"

De alma angustiada, notou que Jesus atingira o último limite dos padecimentos inenarráveis. Alguns dos populares mais exaltados multiplicavam as pancadas, enquanto as lanças riscavam o ar, em ameaças audaciosas e sinistras. Ironias mordazes eram proferidas a esmo, dilacerando-lhe a alma sensível e afetuosa.

Em meio de algumas mulheres compadecidas, que lhe acompanhavam o angustioso transe, Maria reparou que alguém lhe pousara as mãos, de leve, sobre os ombros.

Deparou-se-lhe a figura de João que, vencendo a pusilanimidade criminosa em que haviam mergulhado os demais companheiros, lhe estendia os braços amorosos e reconhecidos. Silenciosamente, o filho de Zebedeu abraçou-se àquele triturado coração maternal. Maria deixou-se enlaçar pelo discípulo querido e ambos, ao pé do madeiro, em gesto súplice, buscaram ansiosamente a luz daqueles olhos misericordiosos, no cúmulo dos tormentos. Foi aí que a fronte do divino supliciado se moveu vagarosamente, revelando perceber a ansiedade daquelas duas almas em extremo desalento.

— "Meu filho! Meu amado filho!..." – exclamou a mártir, em aflição diante da serenidade daquele olhar de melancolia intraduzível.

O Cristo pareceu meditar no auge de suas dores, mas, como se quisesse demonstrar, no instante derradeiro, a grandeza de sua coragem e a sua perfeita comunhão com Deus, replicou com significativo movimento dos olhos vigilantes:

— "Mãe, eis aí teu filho!...". – E dirigindo-se, de modo especial, com um leve aceno, ao apóstolo, disse: — "Filho, eis aí tua mãe!".

Maria envolveu-se no véu de seu pranto doloroso, mas o grande evangelista compreendeu que o Mestre, na sua derradeira lição, ensinava que o amor universal era o sublime coroamento de sua obra. Entendeu que, no futuro, a claridade do Reino de Deus revelaria aos homens a necessidade da cessação de todo egoísmo e que, no santuário de cada coração, deveria existir a mais abundante cota de amor, não só para o círculo familiar, senão também para todos os necessitados do mundo, e que no templo de cada habitação permaneceria a fraternidade real, para que a assistência recíproca se praticasse na Terra, sem serem precisos os edifícios exteriores, consagrados a uma solidariedade claudicante.

Desalentada, ferida, Maria ouvia a voz do filho, recomendando-a aos cuidados de João, o companheiro fiel. Registrou-lhe, humilhada, as palavras derradeiras. Mas, quando a sublime cabeça pendeu inerte, Maria recordou a visita do anjo, antes do Natal Divino. Em retrospecto maravilhoso, escutou-lhe a saudação celestial. Misteriosa força assenhoreava-se-lhe do espírito.

Sim... Jesus era seu filho, todavia, antes de tudo, era o Mensageiro de Deus. Ela possuía desejos humanos, mas o Supremo Senhor guardava eternos e insondáveis desígnios. O carinho materno poderia sofrer, contudo, a Vontade Celeste regozijava-se. Poderia haver lágrimas em seus olhos, mas brilhariam festas de vitória no Reino de Deus. Suplicara aparentemente em vão, porquanto, certo, o Todo-Poderoso atendera-lhe os rogos, não segundo os seus anseios de mãe e sim de acordo com os seus planos divinos!...

Foi então que Maria, compreendendo a perfeição, a misericórdia e justiça da Vontade do Pai, ajoelhou-se aos pés da cruz e, contemplando o filho morto, repetiu as inesquecíveis afirmações: — "Senhor, eis aqui a tua serva! Cumpra-se em mim, segundo a tua palavra!"

Por muito tempo, conservaram-se ainda ali, em preces silenciosas, até que o Mestre, exânime, fosse ar-

MARIA, Mãe de Jesus

rancado à cruz, antes que a tempestade mergulhasse a paisagem castigada de Jerusalém num dilúvio de sombras.

Humberto de Campos[26]

A fé

Deus guardou-te a semente, solitário,
E aos vivos disse: — é a árvore de Maria;
Deus te plantou na hora da agonia,
E aos mortos disse: — é o cedro do calvário;

Deus teus ramos encheu de fruto vário,
E de folhas a copa alta e sombria;
Deus cobriu-te a raiz que estremecia
De suor e sangue, e o tronco de um sudário;

E deu-te bênçãos no sorrir primeiro,
E esponja e cravo e espinhos pendurou
Aos galhos no suspiro derradeiro...

Tu não podes morrer... ele expirou!
Teu tronco é um fragmento do madeiro;
Filha do Céu – Jesus ressuscitou!!

José Bonifácio (O Moço)[27]

Ressurreição

Quando Jesus ressurgiu do túmulo, a negação e a dúvida imperavam no círculo dos companheiros.
Voltaria Ele? Perguntavam perplexos. Quase impossível. Seria Senhor da Vida Eterna quem se entregara na cruz, expirando entre malfeitores?
Maria Madalena, porém, a renovada, vai ao sepulcro de manhãzinha. E, maravilhosamente surpreendida, vê o Mestre, ajoelhando-se-lhe aos pés. Ouve-lhe a voz repassada de ternura, fixa-lhe o olhar sereno e magnânimo. Entretanto, para que a visão se lhe fizesse mais nítida, foi necessário organizar o quadro exterior. O jardim recendia perfumes para a sua sensibilidade feminina, a sepultura estava aberta, compelindo-a a raciocinar. Para que a gravação das imagens se tornasse bem clara, lavando-lhe todas as dúvidas da imaginação, Maria julgou a princípio que via o jardineiro. Antes da certeza, a perquirição da mente precedendo a consolidação da fé. Embriagada de júbilo, a convertida de Magdala transmite a boa nova aos discípulos confundidos. Os olhos sombrios de quase todos se enchem de novo brilho.

Pedro e João acorrem, pressurosos, e ainda veem a pedra removida, o sepulcro vazio, e apalpam os lençóis abandonados.
No colégio dos seguidores travam-se polêmicas discretas. Seria? Não seria?

MARIA, Mãe de Jesus

O Mestre lançou-lhes em rosto a incredulidade e a dureza de coração. Exorta-os a que o vejam, o apalpem. Tomé chega a consultar-lhe as chagas para adquirir a certeza do que observa.

Em seguida, para que os velhos amigos se certifiquem da ressurreição, materializa-se num monte, aparecendo a quinhentas pessoas na Galiléia. No Pentecostes, a fim de que os homens lhe recebam o Evangelho do Reino, organiza fenômenos luminosos e linguísticos, valendo-se da colaboração dos companheiros, ante judeus e romanos, partos e medas, gregos e elamitas, cretenses e árabes. Maravilha-se o povo. Habitantes da Panfília e da Líbia, do Egito e da Capadócia ouvem a Boa Nova no idioma que lhes é familiar.

Todos os companheiros, aprendizes, seguidores e beneficiários solicitaram a cooperação dos sentidos físicos para sentir a presença do Divino Ressuscitado. Utilizaram-se dos olhos mortais, manejaram o tato, aguçaram os ouvidos...

Houve, contudo, alguém que dispensou todos os toques e associações mentais, vozes e visões. Foi Maria, sua Divina Mãe. O Filho Bem-Amado vivia eternamente, no infinito mundo de seu coração. Seu olhar contemplava-o, através de todas as estrelas do Céu e encontrava-lhe o hálito perfumado em todas as flores da Terra. A voz dEle vibrava em sua alma e para compreender-lhe a sobrevivência bastava penetrar o iluminado santuário de si mesma. Seu Filho – seu amor e sua vida – poderia, acaso, morrer? E embora a saudade angustiosa, consagrou-se à fé no reencontro espiritual, no plano divino, sem lágrimas, sem sombras e sem morte...

Homens e mulheres do mundo, que haveis de afrontar, um dia, a esfinge do sepulcro, é possível que estejais esquecidos plenamente, no dia imediato de vossa partida, a caminho do Mais Além. Familiares e amigos, chamados ao imediatismo da luta humana, passarão a desconhecer-vos, talvez, por completo. Mas, se tiverdes um coração de mãe pulsando na Terra, regozijar-vos-eis, além da escura fronteira de cinzas, porque aí vivereis amados e felizes para sempre!

Humberto de Campos[28]

---

[28] *Lázaro Redivivo* - Humberto de Campos/Francisco Cândido Xavier - Feb.

MARIA, Mãe de Jesus

Saudade, trabalho e esperança

rosa gallica agatha incarnata

Na Bataneia

Após a separação dos discípulos, que se dispersaram por lugares diferentes, para a difusão da Boa Nova, Maria retirou-se para a Bataneia, onde alguns parentes mais próximos a esperavam com especial carinho.

Os anos começaram a rolar, silenciosos e tristes, para a angustiada saudade de seu coração.

Tocada por grandes dissabores, observou que, em tempo rápido, as lembranças do filho amado se convertiam em elementos de ásperas discussões, entre os seus seguidores. Na Bataneia, pretendia-se manter uma certa aristocracia espiritual, por efeito dos laços consanguíneos que ali a prendiam, em virtude dos elos que a ligavam a José. Em Jerusalém, digladiavam-se os cristãos e os judeus, com veemência e acrimônia. Na Galiléia, os antigos cenáculos simples e amoráveis da Natureza estavam tristes e desertos.

Para aquela mãe amorosa, cuja alma digna observava que o vinho generoso de Caná se transformara no vinagre do martírio, o tempo assinalava sempre uma saudade maior no mundo e uma esperança cada vez mais elevada no céu.

Sua vida era uma devoção incessante ao rosário imenso da saudade, as lembranças mais queridas. Tudo que o passado feliz edificara em seu mundo interior revivia na tela de suas lembranças, com minúcias somente conhecidas do amor, e lhe alimentavam a seiva da vida.

Relembrava o seu Jesus pequenino, como naquela noite de beleza prodigiosa, em que o recebera nos braços maternais, iluminado pelo mais doce mistério. Figurava-se-lhe escutar ainda o balido das ovelhas que vinham, apressadas, acercar-se do berço que se formara de improviso. E aquele primeiro beijo, feito de carinho e de luz? As reminiscências envolviam a realidade longínqua de singulares belezas para o seu coração sensível e generoso. Em seguida, era o rio das recordações desaguando, sem cessar, na sua alma rica de sentimentalidade e ternura. Nazaré lhe voltava à imaginação, com as suas paisagens de felicidade e de luz. A casa singela, a fonte amiga, a sinceridade das afeições, o lago majestoso e, no meio de todos os detalhes, o filho adorado, trabalhando e amando, no erguimento da mais elevada concepção de Deus, entre os homens da Terra. De vez em quando, parecia vê-lo em seus sonhos repletos de esperança. Jesus lhe prometia o júbilo encantador de sua presença e participava da carícia de suas recordações.

Humberto de Campos[29]

Em Éfeso

A esse tempo, o filho de Zebedeu, tendo presentes as observações que o Mestre lhe fizera da cruz, surgiu na Batanéia, oferecendo àquele espírito saudoso de mãe o refúgio amoroso de sua proteção. Maria aceitou o oferecimento, com satisfação imensa.

E João lhe contou a sua nova vida. Instalara-se definitivamente em Éfeso[30], onde as ideias cristãs ganhavam terreno entre almas devotadas e sinceras. Nunca olvidara as recomendações do Senhor e, no íntimo, guardava aquele título de filiação como das mais altas expressões de amor universal para com aquela que recebera o Mestre nos braços veneráveis e carinhosos.

Maria escutava-lhe as confidências, num misto de reconhecimento e de ventura.

João continuava a expor-lhe os seus planos mais insignificantes. Levá-la-ia consigo, andariam ambos na mesma associação de interesses espirituais. Seria seu fi-

---
[29] *Boa Nova* - Humberto de Campos/Francisco Cândido Xavier - Feb.
[30] Cidade da Lídia, na costa ocidental da Ásia Menor.

lho desvelado, enquanto receberia de sua alma generosa a ternura maternal, nos trabalhos do Evangelho. Demorara-se a vir, explicava o filho de Zebedeu, porque lhe faltava uma choupana, onde se pudessem abrigar, entretanto, um dos membros da família real de Adiabene, convertido ao amor do Cristo, lhe doara uma casinha pobre, ao sul de Éfeso, distando três léguas aproximadamente da cidade. A habitação simples e pobre demorava num promontório, de onde se avistava o mar. No alto da pequena colina, distante dos homens e no altar imponente da Natureza, se reuniriam ambos para cultivar a lembrança permanente de Jesus. Estabeleceriam um pouso e refúgio aos desamparados, ensinariam as verdades do Evangelho a todos os Espíritos de boa vontade e, como mãe e filho, iniciariam uma nova era de amor, na comunidade universal.

Maria aceitou alegremente.

Dentro de breve tempo, instalaram-se no seio amigo da Natureza, em frente do oceano. Éfeso ficava pouco distante, porém, todas as adjacências se povoavam de novos núcleos de habitações alegres e modestas. A casa de João, ao cabo de algumas semanas, se transformou num ponto de assembleias adoráveis, onde as recordações do Messias eram cultuadas por Espíritos humildes e sinceros.

Maria externava as suas lembranças. Falava dele com maternal enternecimento, enquanto o apóstolo comentava as verdades evangélicas, apreciando os ensinos recebidos. Vezes inúmeras, a reunião somente terminava noite alta, quando as estrelas tinham maior brilho. E não foi só. Decorridos alguns meses, grandes fileiras de necessitados acorriam ao sítio singelo e generoso. A notícia de que Maria descansava, agora, entre eles, espalhara um clarão de esperança por todos os sofredores. Ao passo que João pregava na cidade as verdades de Deus, ela atendia, no pobre santuário doméstico, aos que a procuravam exibindo-lhe suas úlceras e necessidades.

Humberto de Campos[31]

Mãe Santíssima

Sua choupana era, então, conhecida pelo nome de "Casa da Santíssima".

O fato tivera origem em certa ocasião, quando um miserável leproso, depois de aliviado em suas chagas, lhe osculou as mãos, reconhecidamente murmurando:

— "Senhora, sois a mãe de nosso Mestre e nossa Mãe Santíssima!"

A tradição criou raízes em todos os Espíritos. Quem não lhe devia o favor de uma palavra maternal nos momentos mais duros? E João consolidava o conceito, acentuando que o mundo lhe seria eternamente grato, pois fora pela sua grandeza espiritual que o Emissário de Deus pudera penetrar a atmosfera escura e pestilenta do mundo para balsamizar os sofrimentos da criatura. Na sua humildade sincera, Maria se esquivava às homenagens afetuosas dos discípulos de Jesus, mas aquela confiança filial com que lhe reclamavam a presença era para sua alma um brando e delicioso tesouro do coração. O título

---

[31] *Boa Nova* - Humberto de Campos/Francisco Cândido Xavier - Feb.

de maternidade fazia vibrar em seu Espírito os cânticos mais doces. Diariamente, acorriam os desamparados, suplicando a sua assistência espiritual. Eram velhos trôpegos e desenganados do mundo, que lhe vinham ouvir as palavras confortadoras e afetuosas, enfermos que invocavam a sua proteção, mães infortunadas que pediam a bênção de seu carinho.

— "Minha mãe – dizia um dos mais aflitos – como poderei vencer as minhas dificuldades? Sinto-me abandonado na estrada escura da vida..."

Maria lhe enviava o olhar amoroso da sua bondade, deixando nele transparecer toda a dedicação enternecida de seu espírito maternal.

— "Isso também passa! – dizia ela, carinhosamente – só o Reino de Deus é bastante forte para nunca passar de nossas almas, como eterna realização do amor celestial."

Seus conceitos abrandavam a dor dos mais desesperados, desanuviavam o pensamento obscuro dos mais acabrunhados.

Humberto de Campos[32]

O Evangelho de Maria

Com delicadeza extrema, Paulo visitou a Mãe de Jesus na sua casinha singela, que dava para o mar. Impressionou-se fortemente com a humildade daquela criatura

---

[32] *Boa Nova* - Humberto de Campos/Francisco Cândido Xavier.

simples e amorosa, que mais se assemelhava a um anjo vestido de mulher. Paulo de Tarso interessou-se pelas suas narrativas cariciosas, a respeito da noite do nascimento do Mestre, gravou no íntimo suas divinas impressões e prometeu voltar na primeira oportunidade, a fim de recolher os dados indispensáveis ao Evangelho que pretendia escrever para os cristãos do futuro. Maria colocou-se à sua disposição, com grande alegria.

O projeto deste Evangelho continuou a ser alimentado, mas dificultado pelas viagens constantes do apóstolo. Estando preso na Cesaréia, Paulo resolveu encarregar Lucas da redação.

A esse tempo, o ex-doutor de Jerusalém chamou a atenção de Lucas para o velho projeto de escrever uma biografia de Jesus, valendo-se das informações de Maria; lamentou não poder ir a Éfeso, incumbindo-o desse trabalho, que reputava de capital importância para os adeptos do Cristianismo. O médico amigo satisfez-lhe integralmente o desejo, legando à posteridade o precioso relato da vida do Mestre, rico de luzes e esperanças divinas.

Emmanuel[33]

Por isso o Evangelho de Lucas é também conhecido como o Evangelho de Maria.

---

[33] *Paulo e Estêvão* - Emmanuel/Francisco Cândido Xavier.

Despedidas de Paulo

Paulo dirige-se a Jerusalém, onde será preso, segundo predições de vozes amigas, porém o corajoso apóstolo, segue resoluto para o testemunho.

Resolve, entretanto, fazer a viagem em etapas, despedindo-se das igrejas que tanto amava.

Em todas as praias eram gestos comovedores, adeuses amargurosos. Em Éfeso, porém, a cena foi muito mais triste, porque o Apóstolo solicitara o comparecimento dos anciãos e dos amigos, para falar-lhes particularmente ao coração. Não desejava desembarcar, no intuito de prevenir novos conflitos que lhe retardassem a marcha, mas, em testemunho de amor e reconhecimento, a comunidade em peso lhe foi ao encontro, sensibilizando-lhe a alma afetuosa.

A própria Maria, avançada em anos, acorrera de longe em companhia de João e outros discípulos, para levar uma palavra de amor ao paladino intimorato do Evangelho de seu Filho. Os anciãos receberam-no com ardorosas demonstrações de amizade, as crianças ofereciam-lhe merendas e flores.

Extremamente comovido, Paulo de Tarso prelecionou em despedida e, quando afirmou o pressentimento de que não mais ali voltaria em corpo mortal, houve grandes explosões de amargura entre os efésios.

Como que tocados pela grandeza espiritual daquele momento, quase todos se ajoelharam no tapete branco da

MARIA, Mãe de Jesus

praia e pediram a Deus que protegesse o devotado batalhador do Cristo. Recebendo tão belas manifestações de carinho, o ex-rabino abraçou, um por um, de olhos molhados. A maioria atirava-se-lhe nos braços amorosos, soluçando, beijando-lhe as mãos calosas e rudes. Abraçando, por último à Mãe Santíssima, Paulo tomou-lhe a destra e nela depôs um beijo de ternura filial.

Emmanuel[34]

---

[34] *Paulo e Estêvão* - Emmanuel/Francisco Cândido Xavier.

Indo ao Céu

rosa eglanteria

A igreja de Éfeso exigia de João a mais alta expressão de sacrifício pessoal, pelo que, com o decorrer do tempo, quase sempre Maria estava só, quando a legião humilde dos necessitados descia o promontório desataviado, rumo aos lares mais confortados e felizes. Os dias e as semanas, os meses e os anos passaram incessantes, trazendo-lhe as lembranças mais ternas. Quando sereno e azulado, o mar lhe fazia voltar à memória o Tiberíades distante. Surpreendia no ar aqueles perfumes vagos que enchiam a alma da tarde, quando seu filho, de quem nem um instante se esquecia, reunindo os discípulos amados, transmitia ao coração do povo as louçanias da Boa Nova. A velhice não lhe acarretara nem cansaços nem amarguras. A certeza da proteção divina lhe proporcionava ininterrupto consolo. Como quem transpõe o dia em labores honestos e proveitosos, seu coração experimentava grato repouso, iluminado pelo luar da esperança e pelas estrelas fulgurantes da crença imorredoura. Suas meditações eram suaves colóquios com as reminiscências do filho muito amado.

Súbito recebeu notícias de que um período de dolorosas perseguições se havia aberto para todos os que fossem fiéis à doutrina do seu Jesus divino. Alguns cristãos banidos de Roma traziam a Éfeso as tristes informações. Em obediência aos éditos mais injustos, escravizavam-se os seguidores do Cristo, destruíam-se-lhes os lares, metiam-nos a ferros nas prisões. Falava-se de festas públicas, em que seus corpos eram dados como alimento a feras insaciáveis, em horrendos espetáculos.

Então, num crepúsculo estrelado, Maria entregou-se às orações, como de costume, pedindo a Deus por todos aqueles que se encontrassem em angústias do coração, por amor de seu filho.

Embora a soledade do ambiente, não se sentia só: uma força singular lhe banhava a alma toda. Aragens suaves sopravam do oceano, espalhando os aromas da noite que se povoava de astros amigos e afetuosos e, em poucos minutos, a lua plena participava, igualmente, desse concerto de harmonia e de luz.

Enlevada nas suas meditações, Maria viu aproximar-se o vulto de um pedinte.

— Minha mãe – exclamou o recém-chegado, como tantos outros que recorriam ao seu carinho –, venho fazer-te companhia e receber a tua bênção.

Maternalmente, ela o convidou a entrar, impressionada com aquela voz que lhe inspirava profunda simpatia. O peregrino lhe falou do céu, confortando-a delicadamente. Comentou as bem-aventuranças divinas que aguardam a todos os devotados e sinceros filhos de Deus, dando a entender que lhe compreendia as mais ternas saudades do coração. Maria sentiu-se empolgada por tocante surpresa. Que mendigo seria aquele que lhe acalmava as dores secretas da alma saudosa, com bálsamos tão dulçorosos? Nenhum lhe surgira até então para dar, era sempre para pedir alguma coisa. No entanto, aquele viandante desconhecido lhe derramava no íntimo as mais santas consolações. Onde ouvira noutros tempos aquela voz meiga e carinhosa?! Que emoções eram aquelas que lhe faziam pulsar o coração de tanta carícia? Seus olhos se umedeceram de ventura, sem que conseguisse explicar a razão de sua terna emotividade.

Foi quando o hóspede anônimo lhe estendeu as mãos generosas e lhe falou com profundo acento de amor:

— "Minha mãe, vem aos meus braços!".

Nesse instante, fitou as mãos nobres que se lhe ofereciam, num gesto da mais bela ternura. Tomada de comoção profunda, viu nelas duas chagas, como as que seu filho revelava na cruz e, instintivamente, dirigindo o olhar ansioso para os pés do peregrino amigo, divisou também aí as úlceras causadas pelos cravos do suplício. Não pôde mais. Compreendendo a visita amorosa que Deus lhe enviava ao coração, bradou com infinita alegria:

— "Meu filho! meu filho! as úlceras que te fizeram!..."

E precipitando-se para ele, como mãe carinhosa e desvelada, quis certificar-se, tocando a ferida que lhe fora produzida pelo último lançaço, perto do coração. Suas mão ternas e solícitas o abraçaram na sombra visitada pelo luar, procurando sofregamente a úlcera que tantas lágrimas lhe provocara ao carinho maternal. A chaga lateral também lá estava, sob a carícia de suas mãos. Não conseguiu dominar o seu intenso júbilo. Num ímpeto de amor, fez um movimento para se ajoelhar. Queria abraçar-se aos pés do seu Jesus e osculá-los com ternura. Ele, porém, levantando-a, cercado de um halo de luz celestial, se lhe ajoelhou aos pés e, beijando-lhe as mãos, disse em carinhoso transporte:

— "Sim, minha mãe, sou eu!... Venho buscar-te, pois meu Pai quer que sejas no meu reino a Rainha dos Anjos...".

Maria cambaleou, tomada de inexprimível ventura. Queria dizer da sua felicidade, manifestar seu agradecimento a Deus; mas o corpo como que se lhe paralisara, enquanto aos seus ouvidos chegavam os ecos suaves da saudação do Anjo, qual se a entoassem mil vozes cariciosas, por entre as harmonias do céu.

No outro dia, dois portadores humildes desciam a Éfeso, de onde regressaram com João, para assistir aos últimos instantes daquela que lhes era a devotada Mãe Santíssima.

Maria já não falava. Numa inolvidável expressão de serenidade, por longas horas ainda esperou a ruptura dos derradeiros laços que a prendiam à vida material.

Humberto de Campos[35]

---
[35] *Boa Nova* - Humberto de Campos/Francisco Cândido Xavier.

Rainha dos Anjos

A alvorada desdobrava o seu formoso leque de luz quando aquela alma eleita se elevou da Terra, onde tantas vezes chorara de júbilo, de saudade e de esperança. Não mais via seu filho bem-amado, que certamente a esperaria, com as boas-vindas, no seu reino de amor; mas, extensas multidões de entidades angélicas a cercavam cantando hinos de glorificação. Experimentando a sensação de se estar afastando do mundo, desejou rever a Galiléia com os seus sítios preferidos. Bastou a manifestação de sua vontade para que a conduzissem à região do lago de Genesaré, de maravilhosa beleza. Reviu todos os quadros do apostolado de seu filho e, só agora, observando do alto a paisagem, notava que o Tiberíades, em seus contornos suaves, apresentava a forma quase perfeita de um alaúde. Lembrou-se, então, de que naquele instrumento da Natureza Jesus cantara o mais belo poema de vida e amor, em homenagem a Deus e à humanidade. Aquelas águas mansas, filhas do Jordão marulhoso e calmo, haviam sido as cordas sonoras do cântico evangélico.

Dulcíssimas alegrias lhe invadiam o coração e já a caravana espiritual se dispunha a partir, quando Maria se lembrou dos discípulos perseguidos pela crueldade do mundo e desejou abraçar os que ficariam no vale das sombras, à espera das claridades definitivas do Reino de Deus. Emitindo esse pensamento, imprimiu novo impulso às multidões espirituais que a seguiam de perto. Em poucos instantes, seu olhar divisava uma cidade soberba e maravilhosa, espalhada sobre colinas enfeitadas de carros e monu-

MARIA, Mãe de Jesus

mentos que lhe provocavam assombro. Os mármores mais ricos esplendiam nas magnificentes vias públicas, onde as liteiras patrícias passavam sem cessar, exibindo pedrarias e peles, sustentadas por misérrimos escravos. Mais alguns momentos e seu olhar descobria outra multidão guardada a ferros em escuros calabouços. Penetrou os sombrios cárceres do Esquilino, onde centenas de rostos amargurados retratavam padecimentos atrozes. Os condenados experimentaram no coração um consolo desconhecido.

Maria se aproximou de um a um, participou de suas angústias e orou com suas preces, cheias de sofrimento e confiança. Sentiu-se mãe daquela assembleia de torturados pela injustiça do mundo. Espalhou a claridade misericordiosa de seu Espírito entre aquelas fisionomias pálidas e tristes.

Eram anciãos que confiavam no Cristo, mulheres que por ele haviam desprezado o conforto do lar, jovens que depunham no Evangelho do Reino toda a sua esperança. Maria aliviou-lhes o coração e, antes de partir, sinceramente desejou deixar-lhes nos Espíritos abatidos uma lembrança perene. Que possuía para lhes dar? Deveria suplicar a Deus para eles a liberdade?! Mas, Jesus ensinara que com Ele todo jugo é suave e todo fardo seria leve, parecendo-lhe melhor a escravidão com Deus do que a falsa liberdade nos desvões do mundo. Recordou que seu filho deixara a força da oração como um poder incontrastável entre os discípulos amados. Então, rogou ao Céu que lhe desse a possibilidade de deixar entre os cristãos oprimidos a força da alegria. Foi quando, aproximando-se de uma jovem encarcerada, de rosto descarnado e macilento, lhe disse ao ouvido:

— "Canta, minha filha! Tenhamos bom ânimo!... Convertamos as nossas dores da Terra em alegrias para o Céu!..."

A triste prisioneira nunca saberia compreender o porquê da emotividade que lhe fez vibrar subitamente o coração. De olhos estáticos, contemplando o firmamento luminoso, através das grades poderosas, ignorando a razão de sua alegria, cantou um hino de profundo e enternecido amor a Jesus, em que traduzia sua gratidão pelas dores que lhe eram enviadas, transformando todas as suas amarguras em consoladoras rimas de júbilo e esperança. Daí a instantes, seu canto melodioso era acompanhado pelas centenas de vozes dos que choravam no cárcere, aguardando o glorioso testemunho.

Logo, a caravana majestosa conduziu ao Reino do Mestre a bendita entre as mulheres e, desde esse dia, nos tormentos mais duros, os discípulos de Jesus têm cantado na Terra, exprimindo o seu bom ânimo e a sua alegria, guardando a suave herança de Nossa Mãe Santíssima.

Por essa razão, irmãos meus, quando ouvirdes o cântico nos templos das diversas famílias religiosas do Cristianismo, não vos esqueçais de fazer no coração um brando silêncio, para que a Rosa Mística de Nazaré espalhe aí o seu perfume!

Humberto de Campos[36]

---

[36] *Boa Nova* - Humberto de Campos/Francisco Cândido Xavier.

2ª PARTE

Atividades de Maria no Plano Espiritual

Retrato de Mãe

rosa lucida

Depois de muito tempo,
Sobre os quadros sombrios do calvário,
Judas, cego no além, errava solitário...

Era triste a paisagem,
O céu era nevoento...

Cansado de remorso e sofrimento,
Sentara-se a chorar...
Nisso, nobre mulher de planos superiores,
Nimbada de celestes esplendores,
Que ele não conseguia divisar,
Chega e afaga a cabeça do infeliz.
Em seguida, num tom de carinho profundo,
Quase que, em oração, ela lhe diz:
— Meu filho, por que choras?

Acaso, não sabeis? – replica o interpelado,
Claramente agressivo,

Sou um morto e estou vivo.
Matei-me e novamente estou de pé,
Sem consolo, sem lar, sem amor e sem fé...
Não ouvistes falar em Judas, o traidor?
Sou eu que aniquilei a vida do Senhor...

A princípio, julguei
Poder fazê-lo rei,
Mas apenas lhe impus
Sacrifício, martírio, sangue e cruz.
E em flagelo e aflição
Eis a que a minha vida agora se reduz...
Afastai-vos de mim,
Deixai-me padecer neste inferno sem fim...
Nada me pergunteis, retirai-vos senhora,
Nada sabeis da mágoa que me agita,
Nunca penetrareis minha dor infinita...
O assunto que lastimo é unicamente meu...

No entanto, a dama calma respondeu:
— Meu filho, sei que sofres, sei que lutas,
Sei a dor que te causa o remorso que escutas,
Venho apenas falar-te
Que Deus é sempre amor em toda parte...
E acrescentou serena:
— A Bondade do Céu jamais condena;
Venho por mãe a ti, buscando um filho amado.
Sofre com paciência a dor e a prova;
Terás, em breve, uma existência nova...
Não te sintas sozinho ou desprezado.

Judas interrompeu-a e bradou, rude e pasmo:
— Mãe? Não me venhais aqui com mentira
e sarcasmo.
Depois de me enforcar num galho de figueira,
Para acordar na dor,
Sem mais poder fugir à vida verdadeira,
Fui procurar consolo e força de viver
Ao pé da pobre mãe que me forjara o ser!
Ela me viu chorando e escutou meus lamentos,
Mas teve medo de meus sofrimentos.
Expulsou-me a esconjuros,
Chamou-me monstro, por sinal,
Disse que eu era
Unicamente o Espírito do mal;
Intimou-me a terrível retrocesso,
Mandando que apressasse o meu regresso
Para a zona infernal, de onde, por certo, eu vinha...
Ah! detesto lembrar a horrível mãe que eu tinha...
Não me faleis de mães, não me faleis de amor,
Sou apenas um monstro sofredor...

— Inda assim – disse a dama docemente –
Por mais que me recuses, não me altero;
Amo-te, filho meu, amo-te e quero
Ver-te, de novo, a vida
Maravilhosamente revestida
De paz e luz, de fé e elevação...
Virás comigo à Terra,
Perderás, pouco a pouco, o ânimo violento,
Terás o coração
Nas águas de bendito esquecimento.

Numa nova existência de esperança,
Levar-te-ei comigo
A remansoso abrigo,
Dar-te-ei outra mãe! Pensa e descansa!...
E Judas, nesse instante,
Como quem olvidasse a própria dor gigante
Ou como quem se desagarra de pesadelo atroz
Perguntou: — Quem sois vós?
Que me falais assim, sabendo-me traidor?
Sois divina mulher, irradiando amor
Ou anjo celestial de quem pressinto a luz?!...
No entanto, ela a fitá-lo, frente a frente,
Respondeu simplesmente:
— Meu filho, eu sou Maria, sou a mãe de Jesus.

Maria Dolores[37]

---

[37] *Momentos de Ouro* - Francisco Cândido Xavier/Espíritos Diversos - Geem.

A Legião dos Servidores de Maria

rosa gallica aghata prolifera

Maria mantém no plano espiritual inúmeras organizações; uma delas é Legião dos Servos de Maria; Camilo Castelo Branco destacado escritor português do século XIX tendo cometido suicídio foi socorrido amorosamente pela Legião dos Servos de Maria e posteriormente transmitiu através da médium Yvonne A. Pereira notícias dessa obra benemérita da Mãe de Jesus.[38]

Nessas instituições podemos reconhecer o amor maternal da Mãe de Jesus que é, a medida que mais se observa, mais abrangente; uma imagem dessa abrangência é a dos braços maternais que abraçam o bebê de encontro ao seio, envolvendo-o por completo.

É um amor materno que acrescenta energia ao carinho; ao zelo com a habitação confortável, vestuário limpo,

---

[38] Todos os textos citados neste capítulo são extraídos do livro *Memórias de um Suicida*, Yvonne A. Pereira - Feb.

alimentação saborosa e saudável a Mãe Santíssima soma a disciplina indispensável; à corrigenda educativa, tão necessária a quem se habitua ao mal, Maria adiciona a esperança e a certeza do triunfo final do bem.

Não a encontraremos em corpo espiritual com frequência nesses lugares, mesmo porque sua presença portentosa distrairia os obreiros de suas obrigações rotineiras, mas a cada passo, em cada processo, nos menores detalhes, a sua influência e as suas orientações estão presentes.

Acompanhemos através do olhar de Camilo, Espírito em sofrimento na época, *flashes* dos personagens e do cenário do plano espiritual onde se desenvolvem os trabalhos caritativos desses trabalhadores do bem, cujo ideal é servirem a Maria, pois dessa forma estarão servindo a Jesus e servindo a Deus.

O Vale dos Suicidas

Depois do suicídio, enfrentando atrozes sofrimentos, Camilo foi conduzido ao Vale dos Suicidas, região de muitas dores do plano espiritual que abriga aqueles que tentaram pôr fim à própria vida.
...
Vejamos os personagens desse vale de sofrimentos: Sim! Imaginai uma assembleia numerosa de criaturas disformes – homens e mulheres – caracterizada pela alucinação de cada uma, correspondente a casos íntimos, trajando, todos, vestes como que empastadas do lodo das sepulturas, com feições alteradas e doloridas estampan-

do os estigmas de sofrimentos cruciantes! Imaginai uma localidade, uma povoação envolvida em densos véus de penumbras, gélida e asfixiante, onde se aglomerassem habitantes de além-túmulo abatidos pelo suicídio, ostentando, cada um, o ferrete infame do gênero de morte escolhido no intento de ludibriar a Lei Divina – que lhes concedera a vida corporal terrena como precioso ensejo de progresso, inavaliável instrumento para a remissão de faltas gravosas no pretérito.

...

O cenário:
De outras vezes, tateando nas sombras, lá íamos, por entre gargantas, vielas e becos, sem lograrmos indício de saída... Cavernas, sempre cavernas – todas numeradas –; ou longos espaços pantanosos quais lagos lodosos circulados de muralhas abruptas, que nos afiguravam levantadas em pedra e ferro, como se fôramos sepultados vivos nas profundas tenebrosidades de algum vulcão! Era um labirinto onde nos perdíamos sem podermos jamais alcançar o fim!

...

Porém, mesmo em lugar tão terrível, a misericórdia de Deus se manifesta:

...

Periodicamente, singular caravana visitava esse antro de sombras:
Era como a inspeção de alguma associação caridosa, assistência protetora de instituição humanitária, cujos abnegados fins não se poderiam pôr em dúvida.
Vinha à procura daqueles dentre nós cujos fluidos vitais arrefecidos pela desintegração completa da matéria,

permitissem locomoção para as camadas do Invisível intermediário, ou de transição.

Supúnhamos tratar-se, a caravana, de um grupo de homens. Mas na realidade eram Espíritos que estendiam a fraternidade...

...

Senhoras faziam parte dessa caravana. Precedia, porém, a coluna, pequeno pelotão de lanceiros, qual batedor de caminhos, ao passo que vários outros milicianos da mesma arma rodeavam os visitadores, como tecendo um cordão de isolamento, o que esclarecia serem estes muito bem guardados contra quaisquer hostilidades que pudessem surgir do exterior. Com a destra o oficial comandante erguia alvinitente flâmula, na qual se lia, em caracteres também azul-celeste, esta extraordinária legenda, que tinha o dom de infundir insopitável e singular temor:

Legião dos servos de Maria.

...

Entravam aqui e ali, pelo interior das cavernas habitadas, examinando seus ocupantes. Curvavam-se, cheios de piedade, junto das sarjetas, levantando aqui e acolá algum desgraçado tombado sob o excesso de sofrimento; retiravam os que apresentassem condições de poderem ser socorridos e colocavam-nos em macas conduzidas por varões que se diriam serviçais ou aprendizes.

O Hospital Maria de Nazaré

Passaram-se os anos e finalmente Camilo tem condições de ser socorrido e é transferido para o hospital Maria de Nazaré.

Um dia, profundo alquebramento sucedeu em meu ser a prolongada excitação. Fraqueza insólita conservou-me aquietado, como desfalecido...
... O conhecido rumor aproximava-se cada vez mais...
Saímos de um salto para a rua... Vielas e praças encheram-se de réprobos como das passadas vezes, ao mesmo tempo que os mesmos angustiosos brados de socorro ecoavam pelas quebradas sombrias, no intuito de despertarem a atenção dos que vinham para a costumeira vistoria...
Até que, dentro da atmosfera densa e penumbrosa, surgiram os carros brancos, rompendo as trevas com poderosos holofotes.
... De súbito ressoou na atmosfera dramática daquele inferno onde tanto padeci, repercutindo estrondosamente pelos mais profundos recôncavos do meu ser, o meu nome, chamado para a libertação! ...
— Abrigo número 36 da rua número 48 – Atenção!... Abrigo número 36 – Ingressar no comboio de socorro – atenção!... – Camilo Cândido Botelho – Belarmino de Queiroz e Souza – Jerônimo de Araújo Silveira – João d'Azevedo – Mario Sobral – Ingressarem no comboio...[39]
...
Entrei... nas portas de entrada lia-se a legenda entrevista antes, na flâmula empunhada pelo comandante do pelotão de guardas:
Legião dos Servos de Maria.

---

[39] Perdoar-me-á o leitor o não transcrever na íntegra os nomes destes personagens, tal como foram revelados pelo autor destas páginas. (Nota da médium Yvonne A. Pereira)

...
Depois de algum tempo de marcha, durante o qual tínhamos a impressão de estar vencendo grandes distâncias, vimos que foram descerradas as persianas, facultando-nos possibilidade de distinguir, no horizonte ainda afastado, severo conjunto de muralhas fortificadas, enquanto pesada fortaleza se elevava impondo respeitabilidade e temor na solidão de que se cercava.

...
Muralhas ameaçadoras, a fortaleza grandiosa, padrão das velhas fortificações medievais, tendo por detalhe primordial meia dúzia de torres, cujas linhas grandemente sugestivas despertariam a atenção de quem por ali transitasse.

...
Vista, a distância, a edificação apavorava, sugerindo rigores e disciplinas austeras...Assaltou-nos tal impressão de poder, grandeza e majestade que nos sentimos ínfimos, acovardados só no avistá-la.

Aproximando-se cada vez mais, o comboio finalmente estacou fronteiro a um grande portão, que seria a entrada principal.

Para além da cornija, caprichosamente trabalhada, e urdida em letras artísticas e graúdas, lia-se em idioma português esta inscrição já nossa conhecida, a qual, como por encanto, serenou nossa agitação logo que a descobrimos:

Legião dos Servos de Maria.

Seguindo-se esta indicação que, emocionante, compeliu-nos a novas apreensões:

Colônia Correcional.

...

Não faltava à fortaleza nem mesmo a defesa exterior de um fosso. Uma ponte desceu sobre ele e o comboio venceu o empecilho fazendo-nos ingressar definitivamente nessa Colônia, não isentados, porém, de sérias preocupações quanto ao futuro que nos aguardava. De entrada, notamos pelas imediações numerosos militares, qual se ali se aquartelasse um regimento. Entretanto, estes muito se assemelhavam aos antigos soldados egípcios e hindus, o que muito nos admirou. Sobre o pórtico da torre principal lia-se esta outra inscrição, parecendo-nos tudo muito interessante, como um sonho que nos cumulasse de incertezas:
Torre de Vigia.
...

Passamos sem estacionar por essa grande praça militar, certo de que se trataria de uma fortificação guerreira idêntica às da Terra, conquanto revestida de indefinível nobreza, inexistente nas congêneres que conhecêramos através da Europa, pois não poderíamos então, avaliar a verdadeira finalidade da sua existência naquelas regiões desoladas do Invisível inferior, cercada de perigos bem mais sérios do que os que poderíamos presumir.

Com surpresa verificamos que entrávamos em cidade movimentadíssima, conquanto recoberta por extensos véus de neve, ou cerração pesada. Não fazia, porém, frio intenso, o que nos surpreendeu, e o sol, mostrando-se a medo entre a cerração, deixava ocasião não só para nos aquecermos, mas também para distinguirmos o que houvesse em derredor.

Edifícios soberbos impunham-se à apreciação, apresentando o formoso estilo português clássico, que tanto nos falava à alma. Indivíduos atarefados, neles entravam e deles saíam em afanosa movimentação, todos uniformizados com longos aventais brancos, ostentando ao peito a cruz azul-celeste ladeada pelas iniciais: LSM. Dir-se-iam edifícios, ministérios públicos ou departamentos. Casas residenciais alinhavam-se, graciosas e evocativas na sua estilização nobre e superior, traçando ruas artísticas que se estendiam laqueadas de branco, como que asfaltadas de neve. À frente de um daqueles edifícios parou o comboio e fomos convidados a descer. Sobre o pórtico definia-se sua finalidade em letras visíveis:
Departamento de Vigilância.
Tratava-se da sede do Departamento onde seríamos reconhecidos e matriculados pela direção, como internos da Colônia. Daquele momento em diante estaríamos sob a tutela direta de uma das mais importantes agremiações pertencentes à Legião chefiada pelo grande Espírito Maria de Nazaré, ser angélico e sublime que na Terra mereceu a missão honrosa de seguir, com solicitudes maternais, Aquele que foi o redentor dos homens!

Conduzidos a um pátio extenso e nobre, que lembraria antigos claustros de Portugal, fomos em seguida transportados em pequenos grupos de 10 individualidades, para determinado gabinete onde vários funcionários colaboravam nos trabalhos de registro. Ali deixaríamos a identidade terrena, bem assim as razões que nos induziram ao suicídio, o gênero do mesmo como o local em que jazeram os despojos.

... Dentro em pouco, entregues a novos servidores, cujas operosidades se desenrolavam aquém dos muros da instituição, fomos compelidos ao ingresso em novos meios de transporte, que tudo indicava serem para uso dos perímetros internos, porquanto nos cumpria continuar a marcha, iniciada desde o Vale.

Nossas viaturas agora eram leves e graciosas, quais trenós ligeiros e confortáveis, puxados pelas mesmas admiráveis parelhas de cavalos normandos, e com capacidade para dez passageiros cada um. Ao cabo de uma hora de corrida moderada, durante a qual deixávamos para trás o bairro da Vigilância, penetrando, por assim dizer, o campo, porque avançando para região despovoada, conquanto as estradas se apresentassem caprichosamente projetadas, orladas de arbustos níveos quais flores dos Alpes, avistamos grandes marcos, como arcos de triunfo, assinalando o ingresso em novo Departamento, nova província dessa Colônia Correcional localizada nas fronteiras invisíveis da Terra com a Espiritualidade propriamente dita.

Com efeito. Lá estava a indicação necessária entestando a arcada principal, norteando o recém-chegado por auxiliá-lo no esclarecimento de possíveis dúvidas:
Departamento Hospitalar.

A um e outro lado destacavam-se outras em que setas indicavam o início de novos trajetos, enquanto novas inscrições satisfaziam a curiosidade ou necessidade do viajante:

À direita – Manicômio.
À esquerda – Isolamento.

Nossos condutores fizeram-nos ingressar pela do centro, onde também se lia, em sub-título: **Hospital Maria de Nazaré.**

Imenso parque ajardinado surpreendeu-nos para além dos marcos, enquanto amplos edifícios se elevavam em locais aprazíveis da situação. Padronizando sempre o estilo português clássico, esses edifícios apresentavam muita beleza e amplas sugestões com suas arcadas, colunas, torres, terraços, onde flores trepadeiras se enroscavam acentuando agradável estética. Para quem, como nós, angustiados e miseráveis, procedia das atrasadas regiões, semelhante localidade, não obstante insulsa, graças à inalterável brancura, aparecia como suprema esperança de redenção! E nem faltavam, aformoseando o parque, tanques com repuxos artísticos a esguicharem água límpida e cristalina, a qual tombava em silêncio, cascateando mimosas gotas como pérolas, enquanto aves mansas, bando de pombos graciosos esvoaçavam ligeiros entre açucenas.

Ao contrário das demais dependências hospitalares, como o Isolamento e o Manicômio, o Hospital Maria de Nazaré, ou "Hospital Matriz", não se rodeava de qualquer barreira. Apenas árvores frondosas, tabuleiros de açucenas e rosas teciam-lhe graciosas muralhas. Muitas vezes pensei, quando dos meus dias de convalescença, como seria arrebatadora a paisagem se a policromia natural rompesse o sudário níveo que tudo aquilo envolvia entristecendo o ambiente de incorrigível monotonia!

Fatigados, sonolentos e tristes, subimos a escadaria. Grupos de enfermeiros atenciosos, todos homens, chefiados por dois jovens trajados à indiana, assistentes do diretor do departamento, os quais mais tarde soubemos chamarem-se Romeu e Alceste, receberam-nos das mãos dos funcionários da Vigilância incumbidos, até então, da nossa guarda, e, amparando-nos, bondosamente, conduziram-nos ao interior. Penetramos galerias magníficas, ao longo das quais portas largas e envidraçadas, com caixilhos levemente azuis, deixavam ver o interior das enfermarias, o que vinha esclarecer que o enfermo jamais se reconheceria a sós. Nossos grupos separaram-se à indicação dos enfermeiros: dez à direita... dez à esquerda... Cada dormitório continha dez leitos alvíssimos e confortáveis, amplos salões com balcões para o parque. Forneceram-nos, caridosamente, banho, vestuário hospitalar, o que nos proporcionou lágrimas de reconhecimento e satisfação. A cada um de nós foi servido delicioso caldo, tépido, reconfortante, em pratos tão alvos quanto os lençóis e cada um sentiu o sabor daquilo que lhe apetecia. Fato singular: enquanto fazíamos a refeição frugal, era o lar paterno que acudia às nossas lembranças, as reuniões em família, a mesa da ceia, o doce vulto de nossas mães servindo-nos, a figura austera do pai à cabeceira... E lágrimas indefiníveis se misturaram ao alimento reconfortador...

Num ângulo favorável aos dez leitos uma lareira aquecia o recinto, proporcionando-nos reconforto. E acima, suspensa ao alto da parede, que se diria estruturada em porcelana, fascinante tela em cores, luminosa e como que animada de vida e inteligência, despertou nossa atenção tão logo transpusemos os acolhedores umbrais. Era um quadro da Virgem de Nazaré, algo semelhante ao célebre painel de Murilo, que eu tão bem conhecia, mas sublimado por virtuosidades inexistentes entre os gênios da Terra! Ao terminarmos a refeição, eis que dois varões hindus entraram em nosso compartimento, apresentando particularidades que os deixavam reconhecer como médicos. Faziam-se acompanhar de dois outros varões, os quais deveriam acompanhar-nos durante toda a nossa hospitalização, pois eram responsáveis pela enfermaria que ocupávamos. Chamavam-se estes Carlos e Roberto de Canalejas, eram pai e filho respectivamente, e, quando encarnados, haviam sido médicos espanhóis na Terra. Era, no entanto, imperfeitamente que a todos eles percebíamos, dado o estado de debilidade em que nos encontrávamos. Dir-se-ia que sonhávamos, e o que vimos narrando ao leitor só podia ser-nos entrevisto como durante as oscilações do sonho...

Não obstante, os hindus aproximaram-se de cada um dos leitos, falaram docemente a cada um de nós, apuseram sobre nossas cabeças atormentadas as mãos delicadas e tão níveas que se diriam translúcidas, acomodaram nossas almofadas, obrigando-nos ao repouso; cobriram-nos paternalmente, aconchegando cobertores aos nossos corpos enregelados, enquanto murmuravam em tonalidades tão carinhosas e sugestivas, que pesada sonolência nos venceu imediatamente:

"— Necessitais de repouso... Repousai sem receio, meus amigos... Sois todos hóspedes de Maria de Nazaré, a doce Mãe de Jesus...Esta casa é dela..."

E se conosco assim procederam, outros assistentes, certamente, o mesmo fizeram em torno dos demais componentes da trágica falange recolhida pelo Amor de Deus!

...

No dia seguinte...

"— Meus amigos, chamam-me Joel Steel, sou– ou fui, como queiram – português nato, mas de origem inglesa. Em verdade o velho Portugal foi sempre muito querido ao meu coração... Jamais pude esquecer os dias venturosos que em seu seio generoso passei... Fui feliz em Portugal... mas depois... os fados me arrastaram para o País de Gales, berço natal de minha querida mãe, Doris Mary Steel da Costa, e então... Bem, é como compatriota e amigo que vos convido ao gabinete cirúrgico a fim de serdes submetidos aos necessários exames, pois que se iniciaram neste momento os trabalhos de cirurgia..."

Prontificamo-nos, esperançados. Não desejávamos outra coisa desde muito tempo! As dores que sentíamos, nossa indisposição geral, refletindo penosamente o que ocorrera com o corpo físico-material, havia muito que nos fazia ansiar pela presença de um facultativo.

Mário e João, cujo estado era melindroso, foram transportados em macas, enquanto os demais seguiam amparados pelos braços fraternos dos enfermeiros bondosos.

Pude então distinguir algo dessa casa magnânima assistida pela carinhosa proteção da excelsa Mãe do Nazareno.

Não somente o excelente conjunto arquitetônico seria digno de admiração. Também a montagem, o grandioso aparelhamento, conjunto de peças extraordinárias, apropriadas à necessidade de clínica no astral, demonstrando o elevado grau que atingira a Medicina entre nossos tutelares, muito embora se não tratasse, o local onde nos encontrávamos, de zona adiantada da Espiritualidade.

Médicos dedicados e diligentes atendiam com fraternas solicitudes aos míseros necessitados dos seus serviços e proteção. Estampavam-se em suas fisionomias bondosas o compassivo interesse do ser superior pelo mais frágil, da inteligência esclarecida pelo irmão infeliz ainda mergulhado nas trevas da ignorância. Entretanto, nem todos trajavam uniformes à indiana. Muitos envergavam longos aventais vaporosos e alvíssimos, quais túnicas singulares, de tecido fosforescente...

Não assisti ao que foi passado com meus companheiros de desdita. Mas, quanto a mim, em chegando ao pavilhão reservado aos labores assistenciais, fui transferido dos cuidados de Joel Steel para o jovem doutor Roberto de Canalejas, o qual me encaminhou para determinada dependência, onde minha organização físico-espiritual – o perispírito – foi submetida a minuciosos e importantes exames. Carlos de Canalejas, pai do precedente, ancião venerável, antigo facultativo espanhol que fizera da Medicina um sacerdócio, página heróica de abnegação e caridade digna do beneplácito do Médico Celeste, e mais um dos psiquistas hindus que nos socorreram à chegada – Rosendo –, foram os meus assistentes. Roberto passou então a assistir ao importante labor qual doutorando às lições dos mestres nos santuários da Ciência, o que vinha esclarecer encontrar-se ele ainda em aprendizado na Medicina local.

À minha organização astral prestaram socorros físicos-astrais justamente nas regiões correspondentes às que, no envoltório físico-terreno, foram dilaceradas pelo projétil de arma de fogo de que utilizara para o suicídio, ou seja, os aparelhos faríngico, auditivo, visual e cerebral, pois o ferimento atingira toda essa melindrosa região do meu infeliz envoltório carnal.

Era como se eu, quando homem encarnado (e realmente assim fora, assim é com todas as criaturas) possuísse um segundo corpo, molde, modelo do que fora destruído pelo ato brutal do suicídio; como se eu fora "duplo" e o segundo corpo, possuindo a faculdade de ser indestrutível, se ressentisse, no entanto, do quanto sucedesse ao primitivo, qual se estranhas propriedades acústicas sustentassem repercussões vibratórias capazes de se prolongarem por indeterminado prazo, fazendo enfermar aquele.

Sei que os tecidos semimateriais das regiões já citadas do meu perispírito, profundamente afetadas, receberam sondagens de luz, banhos de propriedades magnéticas, bálsamos quintessenciados, intervenções de substâncias luminosas extraídas dos raios solares, que deles extraíram fotografias e mapas movediços, sonoros, para análise especiais, que tais fotografias e mapas mais tarde seriam encaminhadas à "Seção de Planejamento de Corpos Físicos" do Departamento de Reencarnação, para estudos concernentes à preparação da nova vestidura carnal que me caberia para o retorno aos testemunhos e expiações na terra, aos quais julgara poder furtar-me com o tresloucado gesto que tivera. Sei que, submetido ao estranho tratamento, envolvido em aparelhos sutis, luminosos, transcendentes, permaneci uma hora, durante a qual o velho doutor de Canalejas e o cirurgião hindu desvelaram-se carinhosamente, reanimando-me com palavras encorajadoras, exortando-me à confiança no futuro, à esperança no Supremo Amor de Deus! E sei também que causei trabalhos árduos, mesmo fadigas àqueles abnegados servos do Bem; que exigi preocupações, obrigando-os a devotamentos profundos até que em meu físico-astral se extinguissem as correntes magnéticas afins com o físico terreno, as quais mantinham o clamoroso desequilíbrio que nenhuma expressão humana será bastante veraz para descrever!

É que o "corpo astral", isto é, o perispírito – ou ainda o "físico-espiritual" – não é uma abstração, figura incorpórea, etérea, como supuseram. Ele é, ao contrário disso, organização viva, real, sede das sensações, na qual se imprimem e repercutem todos os acontecimentos que impressionem a mente e afetem o sistema nervoso, do qual é dirigente.

É que, nesse envoltório admirável da Alma – da Essência Divina que em cada um de nós existe, assinalando a origem de que provimos –, persiste também uma substância material, conquanto quintessenciada, o que a ele faculta a possibilidade de adoecer, ressentir-se, pois que semelhante estado de matéria é assaz impressionável e sensível, de natureza delicada, indestrutível, progressível, sublime, não podendo, por isso mesmo, padecer, sem grandes distúrbios, a violência de um ato brutal como o suicídio, para o seu invólucro terreno.

Entretanto, sob tantos cuidados médicos mais se avantajavam minhas dúvidas quanto à situação própria. Muitas vezes, durante a desesperadora permanência no Vale Sinistro, eu chegara a acreditar que morrera, oh, sim! E que minh'alma condenada expiava nos infernos os tremendos desatinos praticados em vida. Agora, porém, mais sereno, vendo-me internado em bom hospital, submetido a intervenções cirúrgicas, conquanto muito diversos fossem os métodos locais dos que me eram habituais, novas camadas de incertezas inquietavam-me o espírito: Não! Não era possível que eu tivesse morrido! Isto seria morte?... Seria vida?... Foi, portanto, que derramando aflitivo pranto que, em dado momento, naquele primeiro dia, sob as desveladas atenções de Carlos e Rosendo, bradei excitado, febril, incapaz de por mais tempo me conter:

"— Mas, afinal, onde me encontro eu?... Que aconteceu?... Estarei sonhando?... Eu morri ou não morri?... Estarei vivo?... Estarei morto?..."

Atendeu-me o cirurgião hindu, sem se deter na melindrosa atuação. Fitando-me com brandura, talvez para demonstrar que minha situação lhe causava lástima ou compaixão, escolheu o tono mais persuasivo da expressão, e respondeu, sem deixar margem à segunda interpretação: "— Não meu amigo! Não morreste! Não morrerás jamais!... porque a morte não existe na Lei que rege o Universo! O que se passou foi, simplesmente, um lamentável desastre com teu corpo físico-terreno, aniquilado antes da ocasião oportuna por um ato mal orientado do teu raciocínio... A vida, porém, não residia naquele teu corpo físico-terreno e sim neste que vês e contigo sentes no momento, o qual é o que realmente sofre, o que realmente vive e pensa e que traz a qualidade sublime de ser imortal, enquanto o outro, o de carne, que rejeitaste, aquele, apropriado somente para o uso durante a permanência nos proscênios da terra, já desapareceu sob a sombria pedra de um túmulo, como vestimenta passageira que é deste outro que aqui está... Acalma-te, porém... Melhor compreenderás à proporção que te fores restabelecendo..."

Trouxeram-me em maca rumo da enfermaria. Meu estado requeria repouso. Serviram-me reconfortante caldo, pois eu tinha fome. Deram-me a beber água cristalina e balsamizante, pois eu tinha sede. Em redor, o silêncio e a quietação, envolvidos em ondas de reconforto e beneficência, convidavam ao recolhimento. Obedecendo à caridosa sugestão de Rosendo, procurei adormecer, enquanto o desapontamento, trazido pela inapelável realidade, fazia ecoar suas decisivas expressões em minha mente atormentada:

"— A vida não residia no corpo físico-terreno, que destruíste, mas sim neste que vês e sentes no momento, o qual traz a qualidade sublime de ser imortal!"

A Mansão da Esperança

A Legião dos Servos de Maria, mantém também no plano espiritual, outras instituições, em clima vibratório mais ameno.

Uma dessas instituições é a Mansão da Esperança.

Ainda guiados pelo olhar de Camilo, vejamos algumas das primeiras impressões que essa cidade lhe causa, quando após alguns anos de tratamento e aprendizado ele deixa o Hospital Maria de Nazaré e se dirige à Mansão da Esperança.

...E ao entardecer do dia seguinte deixamos o Departamento Hospitalar...

Veículo modesto, que reconhecemos do tipo usual no interior da Colônia, veio buscar-nos. Silenciosamente, comovidos, tomamos lugar e, confortados pela presença de Romeu e Alceste, que nos deveriam acompanhar ao novo domicílio, observávamos que, enquanto deslizava suavemente, as neves melancólicas se adelgaçavam, a paisagem se coloria de formosos tons de madrepérola, flores surgiam em festividades policrômicas à beira das estradas caprichosamente cuidadas... enquanto os primeiros casarios de magnificente metrópole hindu apareciam aos nossos olhos surpreendidos, que julgavam sonhar! Louvado seja Deus! Era, pois, verdade, que havíamos progredido!

...
A primeira noite foi passada em ansiosa expectação. Nossos aposentos deitavam para o jardim e das ogivas que os rodeavam descortinávamos o vasto horizonte da metrópole, marchetado de pavilhões graciosos como construídos em madrepérola, e de cujos caramanchões, que os enfeitavam pitorescamente, evolavam-se fragrâncias delicadas de miríades de arbustos e flores viçosas, não mais insípidas, níveas, como no Departamento Hospitalar.

Tudo indicava que gravitáramos, segundo as nossas afinidades, para uma Cidade Universitária, onde ciclos novos de estudo e aprendizagem se franqueariam para nós, segundo nosso desejo.

Enquanto passeávamos, aos nossos olhos interessados estendia-se paisagem amena e sedutora, onde edifícios soberbos, finamente trabalhados em estilo ideal, que lembraria o padrão de uma civilização que nunca chegaria a se concretizar nas camadas terrestres, nos levaram a meditar sobre a possibilidade de neblinas ignotas, irisadas sob palores também desconhecidos, servirem a artistas para aquelas cúpulas sedutoras, os rendilhados sugestivos, o pitoresco encantamento dos balcões convidando a mente do poeta a devaneios profusos, caminho do Ideal! Avenidas imensas rasgavam-se entre arvoredos majestosos e lagos docemente encrespados, orlados de tufos floridos e perfumosos. E, alinhadas, como em visão inesquecível de uma cidade de fadas, as academias onde o infeliz que atentara contra o sacrossanto ensejo da existência terrena deveria habilitar-se para as decisivas reformas pessoais que lhe seriam indispensáveis para, mais tarde, depois de nova encarnação terrena, onde testemunhasse os valores adquiridos durante os preparatórios, ser admitido na verdadeira Iniciação.

Não me permitirei a tentativa de descrever o encanto que se irradiava desse bairro onde as cúpulas e torres dos edifícios dir-se-iam filigranas lucilando discretamente, como que orvalhadas, e sobre as quais os raios do Astro Rei, projetados em conjunto com evaporações de gases sublimados, emprestavam tonalidades de efeitos, cuja beleza nada sei a que possa comparar!

Em tudo, porém, desenhava-se augusta superioridade, desprendendo sugestões grandiosas, inconcebíveis ao homem encarnado.

E, no entanto, não era residência privilegiada! Apenas um grau a mais acima do triste asilo hospitalar!...

Emocionados, detivemo-nos diante das Escolas que deveríamos cursar. Lá estavam, entestando-as, os letreiros descritivos dos ensinamentos que receberíamos:

— Moral, Filosofia, Ciência, Psicologia, Pedagogia, Cosmogonia, e até um idioma novo, que não seria apenas uma língua a mais, a ser usada na Terra como atavio de abastados, ornamento frívolo de quem tivesse recursos monetários suficientes para comprar o privilégio de aprendê-la. Não! O idioma cuja indicação ali nos surpreendia seria o idioma definitivo, que havia de futuramente estreitar as relações entre os homens e os Espíritos, por lhes facilitar o entendimento, removendo igualmente as barreiras da incompreensão entre os humanos e contribuindo para a confraternização ideada por Jesus de Nazaré:

...

O benfazejo frescor matinal trazia-nos ao olfato perfume dulcíssimo, que afirmaríamos ser dos craveiros sanguíneos que as damas portuguesas tanto gostam de cultivar em seus canteiros, das glicínias mimosas, excitadas pelo orvalho saudável da alvorada. E pássaros, como se cantassem ao longe, assobiavam ternas melodias, completando a doçura do painel.

...

Irmão Sóstenes era o diretor da Cidade Esperança. Falou-nos grave, discreto, bondoso, sem que nos animássemos a fitá-lo:

"— Sede bem-vindos, meus caros filhos! Que Jesus, o único Mestre que, em verdade, aqui encontrareis, vos inspire a conduta a seguir na etapa nova que hoje se delineia para vós. Confiai! Aprendei! Trabalhai! – a fim de que possais vencer! Esta mansão vos pertence. Habitais, portanto, um lar que é vosso, e onde encontrareis irmãos, como vós, filhos do Eterno! Maria, sob o beneplácito de seu augusto Filho, ordenou sua criação para que vos fosse proporcionada ocasião de preparativos honrosos para a reabilitação indispensável. Encontrareis no seu amor de mãe sustentáculo sublime para vencerdes o negror dos erros que vos afastaram das pegadas do Grande Mestre a

quem deveis antes amor e obediência! Cumpre, portanto, apressar a marcha, recuperar o tempo perdido! Espero que sabereis compreender com inteligência as vossas próprias necessidades..."
...
Aqui e ali, pelos parques que bordavam a cidade, deparávamos turmas de alunos ouvindo seus mestres sob a poesia dulcíssima de arvoredos frondosos, atentos e inebriados como outrora teriam sido, na Terra, os discípulos de Sócrates ou de Platão, sob o farfalhar dos plátanos de Atenas; os iniciados do grande Pitágoras e os desgraçados da Galiléia e da Judéia, os sofredores de Cafarnaum ou Genesaré, embevecidos ante a intraduzível magia da palavra messiânica!

Senhoras transitavam pelas alamedas, acompanhadas de vigilantes severas como Marie Nimiers, a quem mais tarde conheceríamos mui de perto; ou impenetráveis como Vicência de Guzman, jovem religiosa da antiga Ordem de S. Francisco, irmã do nosso antigo benfeitor, Conde Ramiro de Guzman, à qual igualmente passamos a bemquerer tão logo soubemos dos elos imarcescíveis que a ligavam àquele dedicado servidor da Seção das Relações com a Terra.

Um servidor de Maria

Embora nas descrições anteriores tenham sido mostrados diversos servidores de Maria, é apresentada a seguir, a biografia de um, entre os milhões de Espíritos elevados, que servem a Nossa Mãe Santíssima.

Esse benfeitor é Aníbal, um dos professores de Camilo na Mansão da Esperança; o relato é de Sóstenes, Diretor da Cidade Esperança:

...E Aníbal, meus caros filhos! Este jovem que conheceu pessoalmente Jesus de Nazaré, durante suas pregações inesquecíveis através da sofredora Judéia! Aníbal de Silas, um daqueles meninos presentes no grupo que Jesus acariciou quando exclamou, demonstrando a inconfundível ternura que mais uma vez expandia entre as ovelhas ainda vacilantes.

"Deixai vir a mim as criancinhas, que delas é o reino dos Céus..."

Aníbal, que vos ministrará ensinamentos cristãos exatamente como os ouviu do próprio Rabi, a quem ama com arrebatamentos de idealista entusiasta e ardoroso, desde a infância longínqua, passada, então, no Oriente!

Assevera ele que, quando o Senhor pregava sua formosa Doutrina de Amor, quadros explicativos, de maravilhosa precisão e encanto inexprimível, surgiam inesperadamente à visão do ouvinte de boa vontade, elucidando de forma inconfundível, por imprimirem nos arcanos do ser de cada um a exemplificação que nunca mais seria olvidada! Que era por isso que, falando, conseguia o grande Enviado conter, em serenidade inalterável, multidões famintas, por longas horas, dominar turbas rebeldes, arrebatar ouvintes, convencer corações que, ou se prostravam à sua passagem, receosos e aturdidos, ou à Sua Doutrina para sempre se prendiam, encantados e fiéis. Os ímpios, porém, cujas mentes viciadas permaneciam desafinadas com as vibrações divinas, nada percebiam, ouvindo apenas relatos cuja excelsitude não eram capazes de alcançar, uma vez que traziam as almas impregnadas do vírus letal da má vontade! Um desses quadros, certamente o mais belo de quantos o Mestre Amado criou para instruir suas ovelhas desgarradas, porque aquele mesmo que o retratava em sua glória de Unigênito do Altíssimo, bastou para que Saulo de Tarso se transformasse em esteio ardente da Doutrina Redentora com que honrara o mundo!

Aníbal cresceu e fez-se homem, sentindo-se sempre envolvido pelas radiações imarcescíveis do Divino Pegureiro[40], e que nunca mais se apagaram das suas recordações. Trabalhou pela Causa, repetiu aqui como além o que ouvira do Senhor ou de seus Apóstolos, preferindo, porém, instruir crianças e jovens, lembrando-se da doçura inexcedível com que Jesus se dirigia à infância. Viajou e sofreu perseguições, ultrajes, injúrias, injustiças, ainda porque era de bom-gosto social criticar os adeptos do Nazareno, ofendê-los, persegui-los, matá-los! E, uma vez chegado a Roma, viu-se glorificado pelo martírio, por amor do Enviado Celeste: teve o fardo carnal incinerado num daqueles postes de iluminação festiva, na célebre ornamentação dos jardins de Nero, aos 37 anos de idade! Mas, entre a tortura do fogo resinoso, porventura ainda mais atroz, e o espanto por se ver colhido nas redes do sublime testemunho, ele, que se considerava humilde, incapaz de merecer tão elevada honra, reviu novamente às margens do Tiberíades, o lago formoso de Genesaré, as aldeias simples e pitorescas da Galiléia e Jesus pregando docemente a Boa Nova celestial com aqueles arrebatadores quadros que, na hora suprema, se mostravam ainda

---

[40] Pegureiro = Pastor.

mais belos e fascinantes à sua alma de adepto humilde e fervoroso, enquanto Sua Voz dulçorosa repetia, como o ósculo da extrema-unção que lhe abençoasse a alma, fadando-a à glória da Imortalidade:
"Vinde a mim, benditos de Meu Pai, passai à minha direita..."
Enamorado sincero da Boa Nova do Cordeiro Imaculado, será a Boa Nova o ensino que vos ministrará, pois, para ele, sois meninos que tudo ignorais em torno dela...E o fará como aprendeu do Mestre Inesquecível em quadros demonstrativos que vos apresentem, o mais fielmente possível, o encanto que para sempre o arrebatou e prendeu Jesus!
A fim de se especializar em tão sublime gênero de confabulação mental hão sido necessárias ao devoto Aníbal vidas sucessivas de renúncias, trabalhos, sacrifícios, experimentações múltiplas e dolorosas no carreiro do progresso, pois somente assim seria possível desenvolver nas faculdades da alma tão precioso dom. Ele o conseguiu, porém, porque jamais em seu coração escasseou a vontade de vencer, jamais esqueceu os dias gloriosos das pregações messiânicas, o momento, sempiterno em seu Espírito, em que sentiu a destra do Celeste Mensageiro pousando sobre sua frágil cabeça de menino, para o convite inesquecível:
"Deixai vir a mim os pequeninos..."
É que Aníbal vinha sendo, para isso, preparado desde eras afastadas!
Viveu nos tempos de Elias, respeitando o nome do verdadeiro Deus! Foi, mais tarde, iniciado nos mistérios augustos das Ciências, pela antiga escola dos egípcios.

O respeito e o devotamento ao Deus Verdadeiro, e a esperança inquebrantável no advento libertador do Messias Divino, iluminavam sua mente desde então, por entre fachos de virtudes que não mais se esmaeceriam! Não obstante, após o sacrifício em Roma, trabalhador e infatigável, renasceu ainda sobre a crosta do planeta. Seduzia-o a vontade poderosa e insopitável de seguir nas pegadas do Mestre, anuindo aos seus divinos apelos. Sofreu, por isso, novas perseguições ao tempo de Adriano, e exultou com a vitória de Constantino!

Desde então, dedicou-se particularmente ao amparo e à educação da infância e da juventude. Sacerdote católico na Idade Média, por mais de uma vez se fez anjo tutelar de pobres crianças abandonadas, esquecidas pela prepotência dos senhores de então, convertendo-as em homens úteis e aproveitáveis para a sociedade, em mulheres honestas, voltadas para o culto do Dever e da Família!

E tanto Aníbal se preocupou com a infância e a juventude, tanto fixou energias mentais naqueles rostinhos formosos e meigos, que sua mente imprimiu em si próprio uma eterna feição de adolescente gentil, pois, como vedes, dir-seia ainda ser o menino acariciado pelo Mestre Nazareno, na Judéia, há quase dois mil anos!...

...Até que um dia, glorioso para o seu Espírito de servo fiel e amoroso, ordem direta desceu das altas esferas de luz, como graça concedida por tantos séculos de abnegação e amor:

"— Vai, Aníbal... e dá dos teus labores à Legião de Minha Mãe! Socorre com Meus ensinamentos, que tanto prezas, os que mais destituídos de luzes e de forças encontrares, confiados aos teus cuidados... Pensa, de preferência, naqueles cujas mentes hão desfalecido sob as penalidades do suicídio... Entreguei-os, de há muito, à direção de Minha Mãe, porque só a inspiração maternal será bastante caridosa para erguê-los para Deus! Ensina-lhes a Minha palavra! Desperta-os, recordando-lhes os exemplos que deixei! Através de Minhas lições, ensina-os a amar, a servir, a dominar as paixões, apondo sobre elas as forças do Conhecimento, a encontrar as estradas da redenção no cumprimento do Dever, que para os homens tracei, a sofrer com paciência, porque o sofrimento é prenúncio de glória, alavanca poderosa do progresso... Abre-lhes o livro das tuas recordações! Lembra-te de quando me ouvias, na Judéia... e ilumina-os com as claridades do Meu Evangelho, pois é só isso o que lhes falta!..."

A hora da Ave-Maria

Na Terra quando o Sol se põe, muitos elevam suas preces à Mãe de Jesus. No plano espiritual também assim acontece.

A suavidade do crepúsculo, as estrelas que principiam a surgir, a natureza que silencia, tudo convida ao recolhimento...

Acreditamos que isso que acontece na Terra é reflexo de uma atitude muito maior e mais profunda que ocorre no Mundo dos Espíritos.

Eis como a sensibilidade de Camilo registrou a hora da Ave Maria na Cidade Esperança:

As solenidades do Ângelus encontravam-nos, frequentemente, ainda no parque. Acentuava-se a penumbra em nossa Cidade e nostalgia dominante envolvia nossos sentimentos. Do Templo, situado na Mansão da Harmonia, região onde se demoravam com frequência os diretores e educadores da Colônia, partia o convite às homenagens que, naquele momento, seria de bom aviso prestarmos à Protetora da Legião a que pertencíamos todos – Maria de Nazaré. Pelos recantos mais sombrios da Colônia ressoavam então doces acordes, melodias suavíssimas, entoadas pelos vigilantes. Era o momento em que a direção geral rendia graças ao Eterno pelos favores concedidos a quantos viviam sob o abrigo generoso daquele reduto de corrigendas, bendizendo a solicitude incansável do Bom Pastor em torno das ovelhinhas rebeldes, tuteladas da Legião de sua Mãe amorável e piedosa. E era ainda quando ordens desciam de Mais Alto, orientando os intensos serviços que se movimentavam sob a responsabilidade dos dedicados servos da mesma Legião. Todavia, não éramos obrigados a orar. Fálo-ía-mos se o quiséssemos. Em Cidade Esperança, porém, jamais tivéramos conhecimento de que algum aprendiz ou interno recusasse agradecer ao Nazareno Mestre ou à sua Mãe boníssima, por entre lágrimas de sincera gratidão, às mercês recebidas do seu inapreciável amparo!

    A blandícia daquela oração, cuja simplicidade só igualava à sua própria excelsitude, despertava em nossas mentes as mais ternas recordações da existência: revíamos, levados pelo império de gratas sugestões, os doces, saudosos dias da infância, os vultos carinhosos de nossas mães – ensinando-nos a mimosa saudação do Arcanjo à Virgem de Nazaré, e as palavras inolvidáveis de Gabriel, ungidas de veneração e respeito, repercutiam nas profundidades do nosso "eu" tocadas do saudoso sabor do desvelo materno que, na vida planetária, jamais soubemos devidamente considerar. Chorávamos! E saudades mui pungentes da Família e do berço natal, do lar que havíamos menosprezado e enlutado, dos entes queridos e amigos que feríramos com a deserção da vida, entornavam-se pelo nosso ser, predispondo-nos a grandes pesares sentimentais, como novas fases de remorsos dolorosos.

Então orávamos, ali mesmo na quietude envolvente do parque ou recolhidos a local determinado, orávamos sentindo em cada dia o ósculo de benéfico reconforto vivificando nossas almas, tal se misericordiosos bálsamos refrescassem nossas consciências das excessivas ardências que se haviam rasgado em nosso ser pelas garras infames do suicídio que nos deprimira e desgraçara à frente de nós mesmos! E, de envolta com o refrigério, eis que se avolumava a necessidade imperiosa de nos tornarmos dignos dessa misericórdia que nos amparava tanto a necessidade dos testemunhos que a Deus provassem nosso imenso pesar por nos reconhecermos graves infratores de suas Magníficas Leis!

Maio

rosa gallica
purpuro-violacea magna

As comemorações terrestres muitas vezes têm no espaço o seu eco suave e doce. Os mortos frequentemente se reúnem aos vivos, nas suas lágrimas ou nas suas glorificações. Quando as luzes e os perfumes de Maio banham os dois hemisférios, onde se agita a cristandade, com suas várias famílias evangélicas, as preces da Terra misturamse com as vibrações do Céu, em homenagem à Mãe do Salvador, no trono de sua virtude e de sua glória. Se o planeta da lágrima se povoa de orações e de flores, há roseiras estranhas florindo nas estradas prodigiosas do Paraíso, nos altares iluminados de outra natureza, e Maria, sob o dossel de suas graças divinas, sorri piedosamente para os deserdados do mundo e para os infelizes dos espaços, derramando sobre os seus corações as flores preciosas de sua consolação.

Na Terra, as suas bênçãos desabotoam a palma da esperança, no ânimo dos tristes e dos abatidos; no Além, as vibrações do seu amor confortam o coração dos desesperados, entornando sobre eles o cântaro de mel de sua infinita misericórdia.

Foi assim que a voz de Jeziel, anjo mensageiro da sua piedade, nos acordou:

— "Hoje – disse-nos com a sua palavra tocada de suave magnetismo –, o Paraíso abre suas portas douradas para receber todas as súplicas, vindas da Terra longínqua... Dos altares terrestres e dos corações que se desfazem nas ânsias cristãs, no planeta das sombras, eleva-se uma onda de amor, em volutas divinas e a Rosa de Nazaré estende aos sofredores o seu manto divino, constelado de todas as virtudes... Celina já partiu para as vastidões escuras do planeta das lágrimas, a fim de repartir as bênçãos carinhosas da Mãe de Jesus com todos aqueles que têm pago ao Céu os mais largos tributos, em prantos e rogativas, nos caminhos espinhosos das penas terrestres. Mas a Senhora dos Anjos não vos poderia esquecer e mandou-me anotar as solicitações dos vossos Espíritos, a fim de que as vossas esperanças alcançassem guarida no seu coração maternal."

E cada entidade expôs ao anjo piedoso de Maria as suas expectativas angustiosas. Antigos afortunados do mundo pediam para os seus descendentes na Terra o necessário esclarecimento espiritual; outros imploravam um bálsamo que lhes aliviasse o coração amargurado, ferido nos espinhos dos enganos terrestres. Não foram poucos os que lembraram seus antigos sonhos e suas paixões nefastas, sepultadas no planeta como negros resíduos de florestas incendiadas, suplicando da Rainha dos Anjos a esmola do conforto do seu amor. Posições convencionais, erros deploráveis e malignas ilusões foram amargamente recordados e, esperando a vez de enunciar o meu desejo, pusme a analisar as aspirações mais sagradas do meu

Espírito, depois de sutilmente arrebatado, pela morte, às suas atividades do mundo. Assim como um estudioso de matemática pode dissecar todas as coisas físicas, compreendendo que a linha é uma reunião de pontos acumulados e que a superfície é a multiplicação dessas mesmas linhas, o Espírito desencarnado, na sua acuidade perceptiva, pode ser o geômetra de suas próprias emoções, operando a análise de si mesmo, autopsiando os fatos dos tempos idos, fazendo-os ressurgir, um a um, na sua milagrosa imaginação.

Lembrei, assim, a paisagem pobre e triste da minha aldeia natal. E vi novamente Miritiba[41], com suas ruas arenosas e semidestruídas, guardando no litoral maranhense as antigas tradições dos guerrilheiros balaios[42], o lar humilde e farto da minha primeira infância, o gênio festivo de meu pai e a figura bondosa e severa de minha mãe... Em seguida, revi os quadros de amargura e de orfandade, vividos na Parnaíba[43] distante. E depois... era o meu veleiro, rudemente jogado no oceano largo, onde, com os remos de minha coragem, procurava enfrentar, inutilmente, a maré alta das lágrimas, até que um dia, desesperado na ilha de meus sofrimentos, e cansado de afrontar, como Ájax[44], a cólera dos deuses, submergi-me, involuntariamente, na grande noite, para despertar no outro lado da vida.

---

[41] Cidade do Maranhão, estado brasileiro, hoje denominada Humberto de Campos em sua homenagem.
[42] A Revolta dos Balaios, rebelião que eclodiu no Maranhão, província brasileira em 1838.
[43] Cidade do Piauí, estado brasileiro, onde Humberto de Campos passou sua adolescência.
[44] Ájax, herói grego da guerra de Tróia, filho de Orfeu, rei da Lócrida, que desafiou os deuses e naufragou ao voltar a Tróia.

No Espírito humano, existem abismos insondáveis de sombra e luz, de misérias obscuras e sublimes glorificações. Num minuto, pode o pensamento rememorar muitos séculos, com o seu cortejo maravilhoso de trevas miseráveis e de luminosas purificações. Chegada a minha vez, supliquei ao anjo solícito: "Jeziel, sobre a superfície da Terra longínqua e escura, onde quase todos os corações se perdem nos desfiladeiros do ateísmo, da impenitência e da impiedade, tenho os filhos bem-amados da minha carne e do meu Espírito; mas esses têm, diante do porvir, o banquete risonho da esperança e da mocidade; ensinei-os a buscar no mundo o contentamento sadio do trabalho, em afirmações de estudo e de perseverança, dentro das leis da consciência retilínea. Porém, numa nesga pequenina da Terra há um coração dilacerado, como o da Mãe de todas as mães terrestres, trespassado de divinas angústias, desde a Manjedoura até o Calvário... É para minha mãe que peço todas as tuas graças... A mão nobre e forte, que me conduziu à lição proveitosa da vida humana, acena-me do mundo, enregelada de saudade, ansiosa do beijo do filho que ela criou, com todos os sacrifícios do seu corpo e com todos os martírios do seu coração... É para ela, Jeziel, que desejo leves a bênção maternal da Rainha dos Céus, numa profusão de lírios de esperança santificadora... Dá ao seu Espírito valoroso, que nunca teve as suas ânsias de ventura realizadas no orbe do exílio, a vibração da paz de que gozam os redimidos nas dores austeras e ignoradas... Todas as bênçãos de Maria sejam depostas na sua fronte, que os cabelos brancos aureolaram, numa epopéia de sacrifícios desconhecidos e de heroísmos santificantes...

Despetala sobre o seu coração fervoroso e agradecido todas as flores que hoje desabrocham no Paraíso, e que, no obscuro recanto da Terra onde o seu Espírito aguarda o alvará da liberdade suprema, possa minha mãe sentir, nos seus olhos nublados de lágrimas, o orvalho das lágrimas do seu filho, redivivo e reconfortado na alegria e na esperança."

E foi assim que a alma piedosa de minha mãe, nas dores com que vai penetrando a antecâmara da imortalidade, recebeu, neste mês de Maio, o coração saudoso e amigo do seu filho.

Humberto de Campos[45]

3ª PARTE

Poemas
e
Mensagens

Ave Maria

rosa gallica officinalis

A prece da Ave Maria baseia-se em duas saudações feitas a Maria:

A primeira saudação é do Anjo Gabriel, quando foi anunciar a Maria que fora escolhida para ser a mãe de Jesus:

— Ave Maria, cheia de graça; o Senhor é contigo, bendita és tu entre as mulheres.

A segunda saudação ocorreu quando Maria foi visitar sua prima Isabel que foi envolvida por um Espírito do Senhor e respondeu assim ao cumprimento de Maria:

— Bendita és tu entre as mulheres, bendito é o fruto do teu ventre.

A tradição preservou uma forma reduzida, contendo as duas saudações:

"Ave Maria, cheia de graça, o Senhor é contigo, bendita és tu entre as mulheres, bendito é o fruto do teu ventre, Jesus".

Esta prece, embora curtíssima, sintetiza, todo um sentimento de fé, voltado a semear alegria e salvação nos caminhos da dor.

Sua extrema popularidade, em nada desmerece seu valor, ao contrário, demonstra que muitas vezes a mente popular pressente as fontes da verdadeira vida.

Ave Maria

Ave Maria! Senhora
Do amor que ampara e redime,
Ai do mundo se não fora
A vossa missão sublime!

Cheia de graça e bondade,
É por vós que conhecemos
A eterna revelação
Da vida em seus dons supremos.

O Senhor sempre é convosco,
Mensageira da ternura,
Providência dos que choram
Nas sombras da desventura.

Bendita sois vós, Rainha!
Estrela da humanidade,
Rosa mística da fé,
Lírio puro da humildade!

Entre as mulheres sois vós
A mãe das mães desvalidas,
Nossa porta de esperança,
E anjo de nossas vidas!

MARIA, Mãe de Jesus

Bendito o fruto imortal
De vossa missão de luz,
Desde a paz da manjedoura,
Às dores, além da cruz.

Assim seja para sempre,
Oh! Divina Soberana,
Refúgio dos que padecem
Nas dores da luta humana.

Ave Maria! Senhora
Do amor que ampara e redime,
Ai do mundo se não fora
A vossa missão sublime!

Amaral Ornellas[46]

A Ave Maria

Ave-Maria! Enquanto nas campinas
As "boas-noites" abrem, misteriosas
Bocas exalam no ar frases divinas,
Como suave emanação das rosas...

Ó noivas do infortúnio lacrimosas,
Crianças loiras, mórbidas meninas,
Órfãs de lar e beijos, que, piedosas,
Ergueis ao céu as magras mãos franzinas!

---
[46] *Parnaso de Além-Túmulo* - Francisco Cândido Xavier/Espíritos diversos - Feb.

Quando rezais, as horas do sol posto,
A Ave-Maria assim, no azul parece
Sorrir-se a Virgem-Mãe dos desvalidos;

Nossa Senhora inclina um pouco o rosto
Para Escutar melhor tão meiga prece,
Hino tão doce e grato aos seus ouvidos.

Raymundo Correa[47]

Maria

Toda a expressão de ternura
Do mundo de provação,
Nos céus ditosos procura
A sua excelsa afeição.

Consolo das mães piedosas,
Cheias de mágoa e de pranto,
Sobre quem atira as rosas
Do seu Amor sacrossanto.

Ninguém diz, ninguém traduz
Essa visão de Harmonia,
Visão de paz e de luz,
Paz dos Céus! Ave-Maria!

Auta de Souza[48]

---

[47] *Poesias* - Raymundo Correa.
[48] *Parnaso de Além-Túmulo* - Francisco Cândido Xavier/Espíritos diversos - Feb.

MARIA, Mãe de Jesus

O Nome da Virgem era Maria

rosa malmundarienses

O nome "Maria" vem do hebraico Myrian, que tem duas significações mais aceitas:
"Sublime";
"Escolhida por Deus".
Em português "Maria" tem um som suave e melodioso. Este fato somado à devoção que as mães têm a Maria, Mãe das Mães, explica o porquê de muitas mulheres terem o nome de "Maria".

Jesus! Maria!

A Clotilde Santiago

Meu coração guarda escritos
E canta em doce harmonia

123

Estes dois nomes benditos:
Jesus! Maria!

Se o dia nasce e, na altura,
O Sol formoso irradia,
Minh'alma acorda e murmura:
Jesus! Maria!

Se a noite desce e, tão brando,
O Sonho azul me inebria,
Sempre adormeço cantando:
Jesus! Maria!

Da Ilusão se o sopro lindo
Todo o meu ser extasia,
Alegre digo, sorrindo:
Jesus! Maria!

Meu coração, quando pulsa,
Louco de dor e agonia,
Ainda grito convulsa:
Jesus! Maria!

Jesus! Maria! Invocando
Em vós o sol que alumia,
Quero morrer soluçando:
Jesus! Maria!

Auta de Souza - 27/7/1898[49]

---

[49] *Horto* - Auta de Souza - Fundação José Augusto.

Revelação

Quem é maior do que os Anjos
Mais radiante que a luz?
Quem amar a Deus nos ensina
Na doutrina mais divina?
Jesus!

Tecem coroas de glórias
As alvoradas do dia,
Enaltecem-na os Arcanjos
Em divina melodia?
Maria!

Quem soube honrar o trabalho,
A paciência, a humildade,
Ensinando à humanidade,
Em Deus depositar fé?
José!

Seja pois esta Trindade,
Vosso guia e vosso norte.
Não receeis os horrores,
Que se vos pintam da morte,
Se invocardes com fé
Jesus, Maria, José!

Gonçalves Dias[50]

---

[50] Referenciado em *Rosa Mystica* - Sebastiana Botelho Egas.

Rosa Mística

rosa gallica pontiana

Dos vários conteúdos simbólicos que a rosa tem tido ao longo dos milênios, nas diversas civilizações, destacamos três:
"A Perfeição";
"O Amor";
"A Regeneração".
A flor delicada, bela, perfumada, florindo entre os espinhos, é bem o emblema desse Sorriso do Céu, que é Maria, desabrochando no meio das dores humanas.

A Virgem

Do teu trono de róseas alvoradas,
Estende, mãe bendita, as mãos radiosas
Sobre a angústia das sendas escabrosas
Onde choram as mães atormentadas.

Mãe de todas as mães infortunadas,
Com tua alma de lírios e de rosas,
Mitiga a dor das almas desditosas
Entre as sombras de míseras estradas.

Anjo consolador dos desterrados,
Conforta os corações encarcerados
Nas algemas do mundo amargo e aflito.

Ao teu olhar, as lágrimas da guerra
E os quadros de amargor, que andam na Terra,
São caminhos de luz para o Infinito.

Bittencourt Sampaio[51]

A Maria

Eis-nos Senhora, a pobre caravana
Em fervorosas súplicas, reunida,
Implorando a piedade, a paz e a vida,
De vossa caridade soberana.

Fortalecei-nos a alma dolorida
Na redenção da iniquidade humana,
Com o bálsamo da crença que promana
Das luzes da bondade esclarecida.

---

[51] *Parnaso de Além-Túmulo* - Francisco Cândido Xavier/Espíritos diversos - Feb.

Providência de todos os aflitos,
Ouvi dos céus, ditosos e infinitos,
Nossa sinceras preces ao Senhor...

Que a nossa caravana da Verdade
Colabore no Bem da Humanidade,
Neste banquete místico do amor.

Bittencourt Sampaio[52]

Rosa Branca

Doce consolação dos infelizes
Primeiro e último amparo de quem chora,
Oh! dá-me alívio, dá-me cicatrizes
Para estas chagas que te mostro agora.

Dá-me dias de luz, horas felizes,
Toda inocência das manhãs de outrora:
As colunas de nuvens em que pises
Transformam-se em clarões de fim de aurora.

Tu que és a Rosa Branca entre os espinhos
Estrela do alto-mar e torre forte,
Vem mostrar-me, Senhora, os bons caminhos.

---

[52] *Parnaso de Além-Túmulo* - Francisco Cândido Xavier/Espíritos diversos - Feb.

MARIA, Mãe de Jesus

Que ao meditar as tuas Sete Dores,
Eu sinta na minha alma a dor de morte
Dos meus pecados e dos meus terrores...

Alphonsus de Guimaraens[53]

A Maria

Rosa Mystica[54]
Stella Matutina

Casto lírio do céu, imaculado e santo,
Estrela senhoril das manhãs radiosas,
Alma feita de luz, alma feita de rosas,
Que perfumas a dor, que iluminas o pranto.

Que fazes de uma prece – o excelso aroma – enquanto
Brilha a lágrima – a gema entre as mais preciosas;
Alma feita de luz, alma feita de rosas,
Doce emblema do amor aclarando o futuro...

Mil gerações te vêm abençoando o vulto,
Num carinhoso ardor, num fervoroso culto
À sacrossanta Mãe, que conforta amarguras.

---
[53] Referenciado em *Rosa Mystica* - Sebastiana Botelho Egas.
[54] Rosa Mística, Estrela Matutina.

Os séculos virão, na asa do tempo ignoto
E teu nome será – formosa flor de loto,
A mais formosa flor das gerações futuras!

Godofredo Vianna[55]

---
[55] Referenciado em *Rosa Mystica* - Sebastiana Botelho Egas.

MARIA, Mãe de Jesus

Rainha do Céu

rosa rubrifolia

Raramente os poderes da Terra socorrem o desgraçado.

Rejeitados pelo auxílio humano, os pobrezinhos voltam-se para os poderes do Céu, e buscam Maria, Rainha dos Anjos, espírito sublimado e poderoso por sua pureza e fidelidade a Deus.

Do "Faça-se em mim a vontade do Senhor", surge a vontade firme refletindo a vontade de Deus.

Rainha do Céu

Excelsa e sereníssima Senhora,
Que sois toda Bondade e Complacência,
Que espalhais os eflúvios da Clemência
Em caminhos liriais feitos de aurora!...

Amparai o que anseia, luta e chora,
No labirinto amargo da existência.

Sede a nossa divina providência
E a nossa proteção de cada hora.

Oh! Anjo Tutelar da Humanidade;
Que espargis alegria e claridade
Sobre o mundo de trevas e gemidos;

Vosso amor, que enche os céus ilimitados,
É a luz dos tristes e dos desterrados,
Esperança dos pobres desvalidos!...

Antero de Quental[56]

Sancta Virgo Virginum[57]

Oh Santa estremecida,
Formosa e imaculada!
Estrela abençoada
Do Céu de minha vida!

Rainha casta e santa
Das virgens do Senhor,
Eterno resplendor
Que o mundo inteiro encanta.

Tu és minha alegria,
Meu único sorriso,

---
[56] *Parnaso de Além-Túmulo* - Francisco Cândido Xavier/Espíritos diversos - Feb.
[57] Santa Virgem das Virgens.

Oh flor do Paraíso,
Angélica Maria!
Ai! quantas vezes, quantas!
A minha fronte inclina
Orando a ti, divina,
Oh Santa entre as mais santas!

Oh Virgem tão serena!
Tu és meu sonho doce,
Perfume que evolou-se
De um seio de açucena!

Amada criatura,
Lança-me estremecido
O teu olhar ungido
De imácula doçura!

Oh Arco da Aliança,
Celeste e branco lírio,
Salva-me do martírio,
Senhora da bonança!

Envolve no teu véu
A minha triste sorte,
E mostra-me na morte
A porta do teu Céu!

Auta de Souza
Nova Cruz, novembro de 1897[58]

---

[58] *Horto* - Auta de Souza - Fundação José Augusto.

Invocando o amparo da Virgem Santíssima

Tu, por Deus entre todas escolhida,
Virgem das virgens, tu, que do assanhado,
Tartáreo[59] monstro com teu pé sagrado
Esmagaste a cabeça entumecida;

Doce abrigo, santíssima guarida
De quem te busca em lágrimas banhado,
Corrente com que as nódoas do pecado
Lava uma alma, que geme arrependida;

Virgem, de estrelas nítidas coroada,
Do Espírito, do Pai, do Filho eterno
Mãe, filha, esposa e mais que tudo amada,

Valha-me o teu poder e amor materno;
Guia este cego, arranca-me da estrada,
Que vai parar ao tenebroso Inferno!

                           Bocage[60] (no leito de morte)

Senhora Santa Maria

Mãe de nosso salvador

---
[59] Tártareo = infernal.
[60] *Sonetos* - Bocage - Livraria Bertrand.

MARIA, Mãe de Jesus

Existe tanta alegria
Por causa do teu amor

Senhora Santa Maria
Senhora, diz, por favor
Diz que eu também sou teu filho
Sou filho do teu amor

Senhora Santa Maria
Senhora, mãe do Senhor
A tua luz me alumia
Na via que ele ensinou

Senhora Santa Maria
Senhora feita de luz
És uma estrela-guia
Pra nos levar a Jesus

Alberto J. C. Carvalho[61]

Sancta Virgo Virginum

Sobe da Terra, em ondas luminosas,
Um turbilhão de vozes e de lírios,
Buscando-vos nas Luzes Harmoniosas,
Oh! Virgem da Pureza e dos Martírios!

---
[61] Poema composto especialmente para esta antologia.

Imagens de turíbulos[62] e rosas
Aromatizam todos os empíreos...[63]
Há na Terra canções maravilhosas
Entre as luzes e as lágrimas dos círios.[64]

Senhora, o mundo inteiro vos festeja,
Em magnificência ampla e radiosa,
Nos altares simbólicos da Igreja!

Eis, porém, que vos vejo nos caminhos,
Onde a vossa virtude carinhosa
Consola e ampara os fracos pobrezinhos...

Alphonsus de Guimaraens[65]

---

[62] Turíbulo = vaso para queimar incenso.
[63] Empíreos = céus.
[64] Círio = vela grande conduzida em procissões.
[65] *Parnaso de Além-Túmulo* - Francisco Cândido Xavier/Espíritos diversos - Feb.

Mãe das Mães

rosa tormentosa

A todos Maria atende, mas seu carinho se debruça com mais doçura sobre as mães aflitas.

O amor materno é, por ora, a coluna mestra da sustentação do sentimento na Terra.

Mulheres da Terra, quando o peso for demasiado para seus ombros, recorram à Mãe das Mães, que ela aliviará seus fardos.

Mulheres da Terra, quando a amargura transbordardo seu coração, procurem Maria, que ela fará com que o mal se decante, e poderão continuar a sustentar o mundo com seus doces sentimentos.

Às filhas da Terra

Do Seu trono de luzes e de rosas,
A Rainha dos Anjos, meiga e pura,
Estende os braços para a desventura,
Que campeia nas sendas espinhosas.

Ela conhece as lágrimas penosas
E recebe a oração da alma insegura,
Inundando de amor e de ternura
As feridas cruéis e dolorosas.

Filhas da Terra, mães, irmãs, esposas,
No turbilhão dos homens e das coisas,
Imitai-A na dor do vosso trilho!...

Não conserveis do mundo o brilho e as palmas,
E encontrareis, em vossas próprias almas,
A alegria do reino do Seu Filho!

Bittencourt Sampaio[66]

Prece à Mãe Santíssima

Mãe Santíssima!...
Enquanto as mães do mundo são reverenciadas, deixa te recordemos a pureza incomparável e o exemplo sublime...
Soberana, que recebeste na palha singela o Redentor da Humanidade, sem te rebelares contra as mães felizes, que afagavam Espíritos criminosos em palácios de ouro, ensina-nos a entesourar as bênçãos da humildade.
Lâmpada de ternura, que apagaste o próprio brilho para que a luz do Cristo fulgurasse entre os homens,

---

[66] *Parnaso de Além-Túmulo* - Francisco Cândido Xavier/Espíritos diversos - Feb.

ajuda-nos a buscar, na construção do bem para os outros, o apoio de nossa própria felicidade.

Benfeitora, que te desvelaste incessantemente, pelo Mensageiro da Eterna Sabedoria, sofrendo-lhe as dores e compartilhando-lhe as dificuldades, sem qualquer pretensão de furtá-lo aos propósitos de Deus, auxilia-nos a extirpar do sentimento as raízes do egoísmo e da crueldade com que tantas vezes tentamos reter na inconformação e no desespero os corações que mais amamos.

Senhora, que viste na Cruz da morte o Filho Divino, acompanhando-lhe a agonia com as lágrimas silenciosas de tua dor, sem qualquer sinal de reclamação contra as criaturas da Terra, conduze-nos para a fé que redime e para a renúncia que eleva.

Missionária, salva-nos do erro.

Anjo, estende sobre nós as níveas asas!...

Estrela, clareia-nos a estrada com teu lume...

Mãe querida, agasalha-nos a existência em teu manto constelado de amor!...

E que todas nós, mulheres desencarnadas e encarnadas em serviço na Terra, possamos repetir, diante de Deus, cada dia, a tua oração de suprema fidelidade:

— "Senhor, eis aqui tua serva, cumpra-se em mim segundo a tua palavra".

Analia Franco[67]

---

[67] Referenciado em *Mãe* – Chico Xavier/Espíritos Diversos – Geem.

Edison Carneiro

Mãe

Ó minha santa mãe! era bem certo
Que entre as preces maternas estendias
As tuas mãos sobre os meus tristes dias,
Quando na Terra – que era o meu deserto.

Nos instantes de dor, bem que eu sentia
As tuas asas de Anjo da Ternura,
Pairando sobre a minha desventura
Feita de prantos e melancolia.

Flor ressequida eu era, e tu o orvalho
Que me nutria, pobre e empalecida;
Era a tua alma a luz da minha vida,
Meu tesouro, meu dúlcido agasalho!...

Ai de mim sem a tua alma bondosa,
Que me dava a promessa da esperança,
Raio de luz, de amor e de bonança,
Na escuridão da vida dolorosa.

E que felicidade doce e pura,
A que senti após a treva de morte,
Findo o terror da minha negra sorte,
Quando vi teu sorriso de ventura!

Então, senti que as Mães são mensageiras
De Maria, Mãe de anjos e de flores,

E Mãe das nossas Mães cheias de amores,
Nossas meigas e eternas companheiras!...

Auta de Souza[68]

Oração de Mãe

Deus de Infinita Bondade!
Puseste astros no céu e colocaste flores na haste agressiva... A mim deste os filhos e, com os filhos, me deste o amor diferente, que me rasga as entranhas, como se eu fosse roseira espinhosa, que mandasses carregar uma estrela...

Aceitaste minha fragilidade a teu serviço, determinando que eu sustente com a maternidade o mandato da vida; entretanto não me deixes transportar, sozinha, um tesouro assim tão grande! Dá-me forças para que te compreenda os desígnios; guia-me o entendimento para que a minha dedicação não se faça egoísmo; guarda-me em teus braços eternos, para que o meu sentimento não se transforme em cegueira.

Ensina-me a abraçar os filhos das outras mães com o carinho que me insuflas no trato daqueles de que enriqueceste minha alma!

Faze-me reconhecer que os rebentos de minha ternura são depósitos de tua bondade, consciências livres que devo encaminhar para a tua vontade e não para os

---

[68] *Parnaso de Além-Túmulo* - Francisco Cândido Xavier/Espíritos diversos - Feb.

meus caprichos. Inspira-me humildade para que não se tresmalhem-no orgulho por minha causa. Concede-me a honra do trabalho constante, a fim de que eu não venha a precipitá-los na indolência. Auxilia-me a querê-los sem paixão e a servi-los sem apego.

Esclarece-me para que eu ame a todos eles com devotamento igual.

No entanto, Senhor, permite-me inclinar o coração, em teu nome, por sentinela de tua bênção, junto daqueles que se mostrarem menos felizes!... Que eu me veja contente e grata se me puderem oferecer mínima parcela de ventura e que me sinta igualmente reconhecida se, para afagá-los, for impelida a seguir nos caminhos do tempo, sobre longos calvários de aflição!...

E, no dia em que me caiba entregá-los aos compromissos que lhes reservastes, ou a restituí-los às tuas mãos, dá que, ainda mesmo por entre lágrimas, possa eu dizerte, em oração, com a obediência da excelsa Mãe de Jesus:

"Senhor, eis aqui a tua serva! Cumpra-se em mim, segundo a tua palavra..."

Meimei[69]

Mãe das Mães

Maria
É a mãe piedosa
De todas as mães resignadas e sofredoras.

---
[69] Referenciado em *Mãe* – Chico Xavier/Espíritos Diversos – Geem.

MARIA, Mãe de Jesus

É a consolação
Que se derrama puríssima
Sobre os prantos maternos,
Vertidos na corola imensa das dores;

É o manto resplandecente
Que agasalha os corações das mães piedosas,
Amarguradas e infelizes,
Que orvalham com lágrimas benditas
As flores de seu amor desvelado,
Espezinhadas pelo sofrimento,
Fustigadas pelo furacão da desgraça,
Atropeladas pelo mal,
Perseguidas pelo infortúnio
No sombrio orbe das lágrimas e das provações.

Todas as preces maternas
Ascendem aos Espaços
Como um doloroso brado de angústia a Maria;
E a rosa sublime de Nazaré
Escuta-as piedosamente,
Estendendo os seus braços tutelares
Às mães carinhosas e desprotegidas;
E bastam os eflúvios do seu amor sacrossanto
Para que as consolações se derramem
Cicatrizando as feridas,
Balsamizando os pesares,
Lenindo os padeceres
Das mães desoladas, que encontram nela

O símbolo maravilhoso de todas as virtudes!...
Ao seu olhar compassivo,
Pulverizam-se os rochedos do mal
Do oceano da vida de desterro e de exílio,
Para que o Brigue[70] da Esperança,
Com suas velas alvas e pandas,[71]
Veleje tranquilamente,
Buscando o porto esperado com ânsia,
Da salvação das almas que sofreram
Nos torvelinhos do mundo,
Como náufragos de uma tormenta gigantesca,
Que não se perderam no abismo das águas tenebrosas
Do mar da iniquidade,
Porque se apegaram
À âncora da Fé.

Maria é o anjo, pois,
Que nos ampara e guia em nossa cruz;
Levando-nos ao Céu, cheia de piedade e comiseração
Pelas nossas fraquezas.
Ela é a personificação do amor divino
No vale das sombras e das amarguras,
E sendo o arrimo de todas as criaturas,
É, sobretudo,

---

[70] Brigue = veleiro.
[71] Pandas = enfunadas, cheias de vento.

A Virgem da Pureza
— Mãe das mães.

Marta[72]

Lembrando Maria, Nossa Mãe

Minha filha:

Deus nos guie para diante.

Atendamos aos Desígnios do Senhor que nos redime pelo sofrimento, como o oleiro consegue purificar a argila do vaso pela bênção do fogo.

Não tenhamos em mente senão a soberana e compassiva determinação do Alto para que possamos realmente triunfar.

Não sabemos a hora da grande renovação, mas não ignoramos que a renovação virá, fatalmente, em favor de cada um de nós.

Assim sendo, não nos preocupemos quanto à estrada que nos cabe palmilhar, mas, sim, busquemos, em nós e fora de nós, a precisa força para vencê-la dignamente.

Sigo-te ou, aliás, seguimos-te o calvário silencioso.

Não te desanimes, nem te inquietes. Caminha simplesmente.

Existe para nós o divino modelo daquela Mulher venerável e sublime que, depois de escalar o monte, tudo perdeu na Terra, sabendo, porém, conservar-se ligada ao

---

[72] *Parnaso de Além-Túmulo* - Francisco Cândido Xavier/Espíritos diversos - Feb.

Pai de Infinita Misericórdia, convertendo em trabalho e conformação, em prece e esperança, as chagas da própria dor.

Maria, nossa Mãe Santíssima, não é mãe ausente do coração que a Ela recorre.

Inspiremo-nos em seu martirológio de angústia e saibamos fazer de nossos padecimentos, um celeiro de graças. A aflição que se submete a Deus, procurando-lhe as diretrizes, é uma âncora de sustentação, mas aquela que se perde em desespero infrutífero é um espinheiro de fel. Soframos com calma, com resignação invariável, de mãos no arado de nossos deveres e de olhos voltados para o Céu.

É preciso coragem para não esmorecer, porquanto, para as mães, a renúncia como que se converte em alimento de cada dia. Recordemos, porém, nossa Mãe do Céu e sigamos com destemor.

Não te faltará o arrimo das amizades celestiais que te cercam e, pedindo-te confiar em minha velha dedicação, sou a amiga de sempre, que se considera a tua mãe espiritual.

Zizinha[73]

Em louvor das Mães

O lar é a célula ativa do organismo social e a mulher, dentro dele, é a força essencial que rege a própria vida.

---

[73] Referenciado em *Mãe* - Francisco Cândido Xavier/Espíritos Diversos - O Clarim.

Se a criança é o futuro, no coração das mães repousa a sementeira de todos os bens e de todos os males do porvir.
O homem é o pensamento.
A mulher é o ideal.
O homem é a oficina.
A mulher é o santuário.
O homem realiza.
A mulher inspira.

Compreender a gloriosa missão da alma feminina, no soerguimento da Terra, é apostolado fundamental do Cristianismo renascente em nossa Doutrina Consoladora.

Auxiliar, assim, o espírito materno, no desempenho de sua tarefa sublime, constitui obrigação primária de todos nós que abraçamos nos Centros Espíritas novos lares de idealismo superior e que buscamos na Boa Nova do Divino Mestre a orientação maternal para a renovação de nossos destinos.

Nesse sentido, se nos cabe reconhecer no homem o condutor da civilização e o mordomo dos patrimônios materiais na gleba planetária, não podemos esquecer que na mulher devemos identificar o anjo da esperança, ternura e amor, a descer para ajudar, erguer e salvar nos despenhadeiros da sombra, oferecendo-nos, no campo abençoado da luta regenerativa, novos tabernáculos de serviço e purificação.

Glorifiquemos, desse modo, o ministério santificante da maternidade na Terra, recordando que o Todo--Misericordioso, quando se dignou enviar ao mundo o seu mais sublime legado para o aperfeiçoamento e a elevação dos homens, chamou um coração de mulher, em

Maria Santíssima, e, através das suas mãos devotadas à humildade e ao bem, à renunciação e ao sacrifício, materializou para nós o coração divino de Nosso Senhor Jesus Cristo, a luz de todos os séculos e o alvo de redenção da Humanidade inteira.

Emmanuel[74]

---

[74] Referenciado em *Mãe* – Francisco Cândido Xavier/Espíritos Diversos – Geem.

MARIA, Mãe de Jesus

As mãos de Maria

rosa foetida

Quantas vezes, pelos caminhos da vida, suspiramos por alguém que nos dê a mão, seja no auxílio a nós mesmos, seja no auxílio que procuramos prestar aos irmãos do caminho.

Mão que auxilie, mão que levante, mão que indique, mão que sustente, mão que aperte a nossa mão, alimentando-nos com as energias da amizade.

Nessas horas, lembremo-nos das Mãos do Céu, que estarão sempre estendidas a quem as busque com sinceridade no bem: as mãos de Maria.

Mãos Celestes

Mãos postas para a prece eternamente
Escudo contra o mal, do bem tutela;
Mãos, a um tempo, de mãe e de donzela;
Meigas, e armadas de poder ingente;

Mãos, de afagos e bênçãos ninho ardente,
Mãos, de clemência milagrosa umbela,[75]
Capazes de aplacar qualquer procela,[76]
E de salvar a mais perdida gente;

Mãos que Jesus beijou, e, pois, divinas;
Mãos delicadas, brandas, femininas,
Mãos de Maria, dai-me proteção!

Não recuseis curar-me esta ferida;
Tomai-me, erguei-me, consertai-me a vida:
Eu deponho entre vós meu coração.

 Afonso Celso[77]

Refugium Peccatorum[78]

O coração que chora resignado,
Tendo perdido as ilusões da vida,
Como pássaro em busca de guarida
Acolhe-se ao teu seio imaculado.

És como um rio azul, rio sagrado,
Em cuja transparência adormecida,

---
[75] Umbela = guarda-chuva, figurado "proteção".
[76] Procela = tempestade.
[77] Referenciado em *Rosa Mystica* - Sebastiana Botelho Egas.
[78] Refúgio dos pecadores.

Transforma-se a vida pervertida
E se lavam as manchas do pecado.

Bendita sejas tu, cuja bondade
Tem sorrisos de paz e redenção
Para os tristes, que choram na orfandade,

Para a dor que não tem consolação,
Bendita sejas tu, que és a Piedade
Conduzindo a miséria pela mão.

Diogo Antonio Feijo[79]

Prece

Estendei vossa mão bondosa e pura,
Mãe querida dos fracos pecadores,
Aos corações dos pobres sofredores
Mergulhados nos prantos da amargura.

Derramai vossa luz, toda esplendores,
Da imensidade, da radiosa altura,
Da região ditosa da ventura,
Sobre a sombra dos cárceres das dores!

Ó Mãe! excelsa Mãe de anjos celestes,
Mais amor, desse amor que já nos destes,
Queremos nós em cada novo dia;

---
[79] Referenciado em *Rosa Mystica* - Sebastiana Botelho Egas.

Vós que mudais em flores os espinhos,
Transformai toda a treva dos caminhos
Em clarões refulgentes da alegria.

Auta de Souza[80]

---

[80] *Parnaso de Além-Túmulo* - Francisco Cândido Xavier/Espíritos diversos - Feb.

MARIA, Mãe de Jesus

O olhar de Maria

rosa clinophylla

O olhar de Maria Santíssima é toda uma fonte generosa de luz e consolação.

Seu olhar é semelhante à luz da aurora; traz energias renovadoras, traz alegria, traz esperança, traz confiança no futuro, trazendo todas estas bênçãos envoltas em muita pureza e doçura.

Nos caminhos da vida, quando desânimo e amargura envolverem nosso coração, mentalizemos o olhar de Maria, e ao nos alimentarmos com seu olhar, veremos que novo alento percorre nosso espírito e conseguiremos, por nossa vez, olhar com fé as vicissitudes da vida.

Mater[81]

Tu, grande Mãe!...do amor de teus filhos escrava,
Para teus filhos és, no caminho da vida,

---
[81] Mãe.

153

Como a faixa de luz que o povo hebreu guiava
À longe Terra Prometida.

Jorra de teu olhar um rio luminoso.
Pois, para batizar essas almas em flor,
Deixas cascatear desse olhar carinhoso
Todo o Jordão do teu amor.

E espalham tanto brilho as asas infinitas
Que expandes sobre os teus, carinhosas e belas,
Que o seu grande clarão sobe, quando as agitas,
E vai perder-se entre as estrelas.

E eles, pelos degraus da luz ampla e sagrada,
Fogem da humana dor, fogem do humano pó,
E, à procura de Deus, vão subindo essa escada,
Que é como a escada de Jacó.[82]

Olavo Billac[83]

Maria

Refúgio dos pecadores,
Consolação dos aflitos.
Quantas mágoas, quantas dores
Tendes vós aliviado,

---
[82] Escada de Jacó, Jacó, patriarca hebreu, estando de viagem teve um sonho e viu uma escada por onde os anjos subiam e desciam.
[83] Referenciado em *Rosa Mystica* - Sebastiana Botelho Egas.

MARIA, Mãe de Jesus

Oh Mãe do Crucificado,
Refúgio dos pecadores!
Quem ouve os nossos clamores,
Quem acode a nossos gritos,
Se não vós, olhos benditos,
Senhora da piedade!
Vós chamada com verdade
Consolação dos aflitos!

João de Deus[84]

Soneto V

Doce Mãe, Sereníssima Senhora,
Dos teus olhos velados de Doçura
Nasce fresca a alvorada, que fulgura
Na infortunada sombra de quem chora!

Quando o meu ser vagava em noite escura,
Nas angústias do abismo que apavora,
Estendeste-me os braços, vendo, embora,
Minhas chagas de treva e de loucura...

Ante o Regaço Fúlgido consente
Que minha fé se exalte embevecida,
Prosternada, ditosa, reverente.

---
[84] *Campo de Flores* - João de Deus - Livraria Bertrand.

155

Recebe no dossel[85] de Graça e Vida
O louvor de teu filho penitente,
No clarão de minh'alma convertida.

Bocage[86]

Regyna Martirium[87]

Lírio do Céu, sagrada criatura,
Mãe das crianças e dos pecadores,
Alma divina como a luz e as flores
Das virgens castas a mais casta e pura;

Do Azul imenso, dessa imensa altura
Para onde voam nossas grandes dores,
Desce os teus olhos cheios de fulgores
Sobre os meus olhos cheios de amargura!

Na dor sem termo pela negra estrada
Vou caminhando, a sós, desatinada,
— Ai! pobre cega sem amparo ou guia! –

Sê tu a mão que me conduza ao porto.
Oh doce mãe da luz e do conforto,
Ilumina o terror desta agonia!

Auta de Souza[88]

---

[85] Dossel = cobertura de tecido ou flores que se punham sobre o trono.
[86] *Volta Bocage* - Francisco Cândido Xavier/Bocage - Feb.
[87] Rainha dos Mártires.
[88] *Horto* - Auta de Souza – Fundação José Augusto.

MARIA, Mãe de Jesus

O manto de Maria

rosa gallica rosea
flore simplici

Basta consultar a história da humanidade para verificar quão grandes crimes têm sido cometidos, individual e coletivamente pelos homens contra si mesmos.

A história da humanidade é a nossa própria história; temos, portanto, ao longo das encarnações sucessivas, nós, os espíritos em sofrimento que habitamos a Terra, acumulado através de nossas faltas, tempestades de dores sobre as próprias cabeças e corações.

Essa tempestade de dores pode ser chamada de Carma, ou Reação das Leis, ou Justiça Divina, ou Dívidas.

Se Deus fosse apenas justiça, e essas dívidas fossem cobradas de imediato, nos aniquilariam. Mas Deus é também misericórdia, atendendo às criaturas imperfeitas, através de suas criaturas aperfeiçoadas.

Tal é a função misericordiosa de Maria: suavizar o pagamento de nossas dívidas, dando-nos a bênção do tempo, e carinho maternal, para que através do perdão aos nossos devedores, do trabalho no bem e principalmente do amor, possamos ter condições de resolver os nossos problemas conscienciais, pagando até o último ceitil, conquistando dignamente a felicidade. Este trabalho Maria o faz, coletivamente, envolvendo a Terra com os Eflúvios de Sua Alma, como se expressam alguns, Seu Manto de Virtudes, ou Sua Aura Luminosa, como se expressam outros, protegendo-nos de nós mesmos.

Nestes dias de transição, isto é particularmente importante, pois chegada é a hora de separar o joio do trigo, as boas árvores das más árvores e de restabelecer a verdade.

A alma em oração, ligada ao Manto de Maria que cobre a Terra, é como um espelho voltado ao Céu, refletindo um raio de luz no abismo.

Aquele que ora, por alguns momentos que seja, segundo fórmulas preestabelecidas, ou colhendo as palavras na espontaneidade do coração, traz grande benefício a si mesmo e aos que o cercam, atravessando com mais segurança esta época difícil.

Que mais e mais espíritos se abriguem no Manto Constelado de Maria, suavizando dores, é a nossa prece.

Súplica à Mãe Santíssima

Anjo dos bons e Mãe dos pecadores,
Enquanto ruge o mal, Senhora, enquanto
Reina a sombra da angústia, abre o teu manto,
Que agasalha e consola as nossas dores.

MARIA, Mãe de Jesus

Nos caminhos do mundo, há treva e pranto.
No infortúnio dos homens sofredores,
Volve à Terra ferida de amargores
O teu olhar imaculado e santo!

Oh Rainha dos Anjos, meiga e pura,
Estende tuas mãos à desventura
E ajuda-nos, ainda, Mãe piedosa!

Conduze-nos às bênçãos de teu porto
E salva o mundo em guerra e desconforto,
Clareando-lhe a noite tormentosa...

Bittencourt Sampaio[89]

Oração

Vós que sois a Mãe bondosa
De todos os desvalidos
Deste vale de gemidos.
Mãe piedosa!...

Sublime estrela que brilha
No céu da paz, da bonança,
Do céu de toda a esperança –
Maravilha!

---
[89] Referenciado em *Mãe* - Francisco Cândido Xavier/Espíritos Diversos - O Clarim.

Maria! – consolação
Dos pobres, dos desgraçados,
Dos corações desolados
Na aflição,

Compadecei-vos, Senhora,
De tão grandes sofrimentos,
Deste mundo de tormentos,
Que apavora.

Livrai-nos do abismo tredo[90]
Dos males, dos amargores,
Protegei os pecadores
No degredo.

Estendei o vosso manto
De bondade e de ternura,
Sobre tanta desventura,
Tanto pranto! Concedei-nos vosso amor,
A vossa misericórdia,
Dai paz a toda discórdia,
Trégua à dor!...

Vós que sois Mãe carinhosa
Dos fracos, dos oprimidos
Deste vale de gemidos,
Mãe bondosa!

João de Deus[91]

---

[90] Tredo = traiçoeiro
[91] *Parnaso de Além-Túmulo* - Francisco Cândido Xavier/Espíritos diversos - Feb.

MARIA, Mãe de Jesus

À Virgem

Vós sois do mundo a estrela da esperança,
A salvação dos náufragos da vida;
A custódia das almas sofredoras,
Consolação e paz dos desterrados
Do venturoso aprisco das ovelhas
De Jesus Cristo, o Filho muito amado!
Fanal[92] radioso aos pobres degredados,
Anjo guiador dos homens desgarrados
Do Evangelho de luz do filho vosso.

Virgem formosa e pura da bondade,
Providência dos fracos pecadores,
Astro de amor na noite dos abismos,
Clarão que sobre as trevas da cegueira
Expulsa a escuridão das consciências!

Virgem da piedade e da pureza,
Estendei vossos braços tutelares
À Humanidade inteira, que padece,
Espíritos na treva das angústias,
No tenebroso báratro[93] das dores,
Mergulhados nas tredas[94] tempestades
Do mal, que lhes ensombra a mente e a vista;
Cegos desventurados, caminhando
Em busca de outras noites mais escuras.

---
[92] Fanal = farol, grande lâmpada que os barcos levavam para sinalização.
[93] Báratro = caos, confusão.
[94] Tredas = traiçoeiras.

161

Legião de penitentes voluntários,
Afastados do amor e da verdade,
Fugitivos da luz que os esclarece!
Anjo da caridade e da virtude,
Estendei vossas asas luminosas
Sobre tanta miséria e tantos prantos.

Dai fortaleza àqueles que fraquejam,
Apiedai-vos dos frágeis caminhantes,
Iluminai os cérebros descrentes,
Fortalecei a fé dos vacilantes,
Clareai as sendas obscurecidas
Dos que se vão nos pântanos dos vícios!...

Existem almas míseras que choram
Amarradas ao potro das torturas,
E corações farpeados de amarguras...
Enxugai-lhes as lágrimas penosas!

Virgem imaculada de ternura,
Abençoai os mansos e os humildes
Que acima de ouropéis[95] enganadores
Põe o amor de Jesus, eterno e puro!
Dulcificai as mágoas que laceram
Pobres almas aflitas na voragem
Das provações mais rudes e amargosas.

Estendei, Virgem pura, o vosso manto
Constelado de todas as virtudes,
Sobre a nudez de tantos sofrimentos

---

[95] Ouropéis = lâminas de latão imitando ouro; ouro falso.

MARIA, Mãe de Jesus

Que despedaçam almas exiladas
No orbe da expiação que regenera...
Ele será a luz resplandecente
Sobre a miséria dos padecimentos,
Afastando amarguras, concedendo
Claridades a estradas pedregosas...
Conforto às almas tristes deste mundo,
Porto de segurança aos viajantes,
Clarão de sol nas trevas mais espessas,
Farol brilhante iluminando os trilhos
De todos os viajores que caminham
Pela mão de Jesus, doce e bondosa;
O pão miraculoso, repartido
Entre os esfomeados e os sedentos
De paz, que os acalente e os conforte!

Virgem, mãe de Jesus, anjo de amor,
Vinde a nós que na luta fraquejamos,
Ajudai-nos a fim de que a vençamos...
Vinde, piedosa virgem de bondade,
Cremos em vós, na vossa alma divina!
Vinde! ... dai-nos mais força e mais coragem,
Derramai sobre nós o eflúvio santo
Do vosso amor, que ampara e que redime...
Vinde a nós! nossas almas vos esperam,
Almas de filhos míseros que sofrem,
Atendei nossas súplicas, Senhora,
Providência da pobre Humanidade.

Bittencourt Sampaio[96]

---

[96] *Parnaso de Além-Túmulo* - Francisco Cândido Xavier/Espíritos diversos - Feb.

SOBRE HUMBERTO DE CAMPOS

A biografia de Maria aqui apresentada, que consideramos real, pois apoiada na mediunidade de Chico Xavier, deve-se em noventa por cento ao Espírito Humberto de Campos. Cabe, portanto, alguns traços biográficos sobre o biógrafo.

Estas páginas não fogem ao foco da obra porque Humberto é um Servidor de Maria. Mais que rótulos, que de nada valem, e que ele dispensa, serviu Nossa Senhora, espalhando a compaixão traduzida em páginas de consolo e esperança, que espalhou em meio às suas expiações e provas aqui na Terra e no Plano Espiritual. Há servidores de Maria que são espíritos superiores e também há os pequeninos, lutando contra suas más tendências, tropeçando e caindo como crianças espirituais. Maria ama a todos e dá oportunidades a todos de trabalho como mãe extremosa e imparcial.

Sempre dei preferência às autobiografias face a biografias, pois ninguém conhece melhor a sua vida do que aquele que a viveu. Para que me atrever a dizer que Humberto foi isso ou aquilo se ele próprio se conta e define em centenas de páginas, nas suas memórias, diários, crônicas, cartas, etc, tanto no plano físico quanto no espiritual?

Dada a feição de "álbum de fotografias" neste livro, listo a seguir *flashes* da vida do Humberto, registrados pelo próprio Humberto nos seus textos.

Origem
"Sou, física e moral e intelectualmente, o produto de quatro ou cinco famílias portuguesas que o tempo e o meio vem debilitando, e que aclimatou, sem se integrar, no ambiente americano... Isso explica, talvez, as tendências disciplinadas e disciplinadoras do meu espírito, a minha paixão pela ordem clássica, e a feição puramente europeia do meu gosto. Tenho horror a insubmissão, e a desordem... Vibram automaticamente, no meu sangue e nos meus nervos, oito séculos de civilização."

O pai
"Era um homem de estatura acima de mediana, ágil, airoso e elegante. Claro e corado, olhos azuis, cabeleira farta e ondulada, de ouro queimado, quase vermelha; bigode da mesma cor; e uma suíças baixas que lhe chegavam até o meio da face... Guapo, alegre, sempre disposto e em movimento, era o que se chama hoje, um tipo esportivo... Vejo-o pulando o balcão de (sua) loja, num salto rápido e firme."

A mãe
"Morena, longos cabelos negros, olhos castanho escuros, havia tido varíola, quando menina, possuindo por isso a pele marcada, mas muito fina... Minha mãe enfrentou a vida com heroísmo sereno e silencioso, e com tranquilo espírito de decisão... Mentalmente era, talvez, entre as irmãs, o espírito culminante da família.

O dia das mães... Este é... o meu dia de glória. Durante todo o ano, os outros homens me causam inveja. Eles têm o seu palácio, o seu lar, os seus automóveis, as suas roupas, as suas mulheres, a sua robustez, o seu prestígio mundano ou político, a luz do seu espírito ou a luz dos seus olhos. Mas eu tenho tanto como eles, e mais do que muitos deles, porque ainda tenho na terra, pensando em mim, velando por mim, rezando por mim, a minha mãe."

Nascimento

"Nasci a 25 de outubro de 1886... Não tenho certeza da hora; parece-me, todavia, ter ouvido dizer à minha mãe que foi a três ou quatro da manhã. Eu sempre fui, aliás, excelente madrugador... Sempre fui proclamado, embora sem irritação consciente de minha parte, o menino mais feio da família. Nasci feio, e tenho sido, na vida, nesse ponto, de uma coerência acima de todo elogio... Faltam-me elementos históricos e geográficos para escrever sobre a pequena vila (Miritiba) em que nasci... Situada à algumas léguas da foz do Piriá, repousa por trás de uma série de dunas... Dependendo do oceano a maré leva-lhe todos os dias, a água do mar e seus peixes... A vila possui, correndo paralelamente a rua da frente, mais duas ou três, em que os pés dos transeuntes se afundam na areia solta..."

A irmã

"Minha irmã pequenina possuía, entretanto, índole precisamente diversa... A maior parte das minhas travessuras tinham-na como vítima... Ao ver-me, porém, submetido a castigo violento, precipitava-se em meu auxílio, abraçava-se comigo, e, não raro, apanhávamos juntos, quando me puniam por sua causa... Era uma criança linda e boa... Foi uma filha carinhosa e meiga, e esposa pura e modelar. Por isso, morreu. E eu fiquei."

A infância

"Eu tenho a impressão que não fui, jamais, um menino alegre e querido, por mais que recue no tempo em busca de mim mesmo, só me encontro impulsivo e rebelde, mas dominado, intimamente por uma profunda tristeza, com imprevistas explosões de esquisita sensibilidade... Nasci, pois, com todos os atributos para ser um triste, um rústico, um insubmisso, um revoltado. E obedeci na infância e na adolescência essa predestinação... A Vida é que, com suas esporas de aço, rasgando-me as carnes, subjugando-me os ímpetos, domesticou, pouco a pouco, este potro selvagem."

Órfão

"(Meu pai) havia saído a passeio em um cavalo árdego[97] que exigia espora de fidalgo e pulso de cavaleiro... Minha irmã, que tinha apenas dois anos, sai na carreira e cai, na rua, sob as patas do animal... O quadrúpede resfolega impaciente, mordendo o freio... Um movimento qualquer, e, sentando-lhe uma das patas na espinha frágil, pode matar a menina... Vem a meu pai uma ideia súbita e desesperada: crava de repente, e com violência, as esporas no ventre do animal, que dá um arranco, saltando longe. A filha estava salva, mas ele estava morto... A datar, porém, desse dia, não teve mais saúde... Ano e meio depois estava morto... Quando meu pai morreu, eu tinha seis anos e vinte e dois dias.

Minha mãe, de pé agita seu lenço, que bate como uma asa de pássaro branco estonteado na noite. Outros lenços se agitam na praia, na mão das sombras. Abraçados a minha mãe que chora, eu e minha irmã pequena..."

---

[97] Fogoso.

A pobreza
"A nossa mudança de Miritiba, onde meu pai era tudo e não nos faltava nada, para Paranaíba, onde éramos nada e nos faltava tudo, começou a influir muito cedo no meu caráter... Eu fui um menino que não possuiu, parece, jamais um brinquedo delicado... No meu aniversário, ou de minha irmã, seu brinde consistia em servir o nosso almoço fora da mesa, improvisando um "banquete" sobre um caixão de querosene, coberto com uma toalha de rosto..."

O trabalho – Lavador de garrafas
"Emília, filha de uma simpática mulata de Barreirinhas com um primo de meu pai, nascera também mulata, mas de cabelo liso. Viera para São Luiz, onde, depois do nascimento de uma filha, se ligou ao comerciante português José Dias Matos, proprietário da casa Transmontana. Meu pai não ia ao Maranhão sem ir visitá-la. Tio Emídio não desdenhava o mesmo prazer. Pequena e elegante, os seus dotes maiores eram da alma e coração. Era boa. Era caridosa. Era alegre. E era, sobretudo, dedicadíssima ao homem que lhe dera o pão...

A excelente criatura foi me despertar no sótão com a notícia que esperava há muito tempo: o sr. José Dias de Matos, o português com quem vivia e que foi mais tarde, seu marido, havia resolvido a minha admissão como caixeiro[98]...

— Hoje você vai para o tanque lavar garrafas. Amanhã é dia de engarrafar vinho.

Não esperei nova ordem. Vesti uma calça velha, arregacei as mangas da camisa, substituí os sapatos por

---
[98] Equivalente a balconista e ajudante geral de loja.

uns tamancos e sentei-me num caixote vazio, ao lado do tanque cheio dágua, e em que as garrafas jaziam mergulhadas... Se alguém bebeu vinho da casa Transmontana de setembro de 1900 a agosto de 1901 pode ficar seguro de que as garrafas estavam limpas. Quem as lavava era eu...
 A noite a mercearia fechava as portas. Corria a tomar o meu banho. Vestia-me. Atravessava a rua. Entrava na Biblioteca Pública.
 E ia viajar com Júlio Verne."

O trabalho – Escritor
 "Ao tomar posse, a 8 de maio de 1920, da cadeira que ocupo na Academia Brasileira de Letras, eu pronunciei estas palavras... 'nada me patenteia tanto a fragilidade humana como a presença dolorosa de um cego"...
 A crítica não me conhece. Os homens de letras não me leem. As classes ilustradas ignoram a minha passagem pela Terra... mas como me sinto pago de todos os tormentos da vida quando recebo essas cartas que diariamente me chegam... mas me dão a certeza de que eu penetrei em uma casa pobre, na intimidade de um coração dolorido, e alegrei um triste e confortei um desesperado... As palavras de gratidão desses mártires são as moedas do meu cofre...
 É esse, igualmente, o dever de um escritor pobre, em um país pobre: manter-se no seu posto até a morte, sem ser pesado a ninguém, e comer, se preciso, o seu braço esquerdo, para que a mão direita permaneça livre e trabalhe infatigável,condenando o erro, espalhando o bem, semeando a Verdade."

O trabalho – Político

"Domingo, 21 de outubro (de 1928) – (Em Salvador na Bahia) o tenente-coronel Faria, ajudante de ordens do governador Vital Soares, o qual vem para me comunicar que este me espera para jantar, e põe a minha disposição um automóvel, para visitar a cidade...
Sábado, 27 de outubro (de 1928) – (No navio Pedro I) Às duas horas avista-se o farol de São Marcos. Às três a cidade. Como é bizarra a minha São Luiz... Do navio vê-se a rampa embandeirada, e o povo aglomerado ao sol... os correligionários adiantam-se abraçando o filho pródigo... O dr. Clarindo Santiago sobe a uma tribuna armada no cais, e lê um discurso de saudação... Respondo-lhe com emoção... conduzindo-me ao palácio, que é franqueado ao povo e onde me espera o Presidente[99] Magalhães de Almeida... A noite jantar político...com a presença oficial... À mesa estão Alfredo de Assis, meu companheiro de boemia e fome no Pará...

(Novembro de 1928) O coronel João Castelo Branco (de Caxias no Maranhão) quer saber a que horas chegarei ali (de trem). Explico que só estarei a uma hora da madrugada.

— Não faz mal; nós esperamos...

Peço-lhe desculpas...passarei sem parar... regressarei na tarde seguinte para visitar Caxias...

— Não... o senhor passa amanhã e passa hoje também...

Uma hora da manhã. A noite está escura... O trem apita. Uma banda de música responde com toda a força dos metais. A estação está cheia. Políticos. Operários...

---

[99] Na época o governador tinha o título de presidente do estado.

Abraço-os a todos. E o trem se põe em marcha, de novo, debaixo da musica e das ovações daquela gente boa e amiga, entre a qual vou deixando, de passagem, em formas íntimas de reconhecimento, pedaços do meu coração.

Sábado, 26 de maio de 1929 - como não houvesse sessão na Câmara (Federal), sentamo-nos a um canto, Manuel Vilaboin, Afrânio Peixoto, Elói de Souza, e eu, a conversar sobre os homens e os fatos da política nacional...

Era pensamento meu, há muito tempo, falar em artigo, desse homem (Magalhães de Almeida)... Eu me encontrava porém em estado de suspeição. Deputado eleito pelo partido que lhe obedece à orientação, o meu gesto poderia ser tomado como um ato de lisonja... O Governo Provisório, na sua sabedoria e na sua prudência, tirou-me, porém esse constrangimento, cassando-me os direitos políticos. Durante cinco anos, não poderei no, meu país, votar nem ser votado... O Sr. Magalhães de Almeida se acha armado, em suma, para a solução de todos os problemas brasileiros. Não tem ideologias. Não tem teorias. Não vive de abstrações. Mas conhece sua terra, conhece a alma e as necessidades do seu povo, e dispões de um senso prático e de um espírito de moderação..."

Educação
(Registrando a visita que recebeu de Armando Sales de Oliveira[100]) "A Universidade de São Paulo é a primeira semente do Brasil Novo... a Universidade cria as elites. E a crise brasileira não é popular, mas das classes superiores; não é das massas, mas dos que devem

---
[100] Interventor do Estado de São Paulo na década de 1930, cargo equivalente ao governador de hoje.

dirigi-las... São Paulo compreendeu isso e vai iniciar a grande marcha. A Universidade que estamos fundando... vai formar e disciplinar para a vida pública, para as necessidades de sua política e da sua ciência, a primeira geração homogênea...
O gramático não deve tentar, como atualmente acontece, elevar a criança a uma condição de adulto, para ensinar-lhe o idioma; o seu dever é descer à condição da criança, para entender-se com ela e subirem juntos, gradualmente, a escada do conhecimento... Eu jamais me meti, na minha vida em uma conspiração. No dia, porém, em que as crianças do Brasil se reunirem secretamente para linchar um gramático ou um professor de português, podem contar comigo... A primeira paulada é minha."

A Doença
"Vivi as horas mais terríveis que pode viver um homem, quando em janeiro de 1928, recebi a sentença condenatória da ciência, com o diagnóstico da hipertrofia da hipófise, que se caracterizava de modo alarmante. Em meados de 1930 os efeitos dessa enfermidade se alastravam... o olho esquerdo ficou perdido, sem nenhuma lesão aparente. As mãos se tornaram volumosas, acompanhadas de dormência, que aumentava durante o trabalho e durante o sono. A parte inferior do braço tomada de dores, pela falta de circulação, fazia-me levantar de hora em hora... hipertrofia prostática... intoxicação... sonhos maus... pesadelos... sentia a cabeça enorme e a língua pesada... surdez... suores frios... respiração curta e difícil...
A enfermidade implacável que me assaltou continua no seu curso... Deixei de ler... As dores nas minhas pernas são mais fortes... mas trabalho contente...

Não obstante trabalhei sempre, e não deixei de prover, com os recursos da minha pena, as necessidades da minha casa... retirei meu filhos do colégio... atirando-os ao trabalho... Sinto que a minha alma se purifica no sofrimento, e que o meu coração, trabalhado pelas dores próprias, se preparou melhor para compreender as dores alheias...

Perdi, com minha casa hipotecada, tudo o que possuía como fortuna terrena... mas o trabalho não me falta, e, com o produto do meu trabalho, tenho tudo o que desejo, porque hoje desejo pouco..."

Inimigos

"Nasci no Maranhão, em uma vila que, arrependida de me haver dado ao mundo, se está suicidando aos poucos, e ao mesmo tempo se sepultando sobre montanhas de areia. E eu quero bem a minha terra... Quando em 1928, eleito seu representante na Câmara, fui visitá-la, um dos jornais da capital dedicou-me um grande artigo na primeira página onde terminava com esta frase textual: "Em suma, é esta pústula que vem aí"...

Mais tarde correndo por lá a notícia da enfermidade que ainda hoje me atormenta, o mesmo diário afixou a sua porta um cartaz, e publicou um editorial de parabéns ao Brasil com essa passagem que é um primor pelos sentimentos que revela: "O castigo chegou: Humberto de Campos vai ficar cego!"... mesmo assim continuo a estimar, fraternalmente a todos os meus coestaduanos... E eu, abençoando o solo em que nasci como erva má, perdoo os que me injuriam, e não peço a Deus senão luz para os olhos daqueles que festejaram a morte prematura dos meus.

A morte[101]

"A morte não veio buscar a minha alma, quando esta se comprazia nas redes douradas da ilusão. A sua tesoura não me cortou fios de mocidade e de sonho, porque eu não possuía senão neves brancas e rígidas à espera do sol para se desfazerem... A minha excessiva vigilância trouxe-me a insônia, que arruinou a tranquilidade dos meus últimos dias. Perseguido pela surdez, já os meus olhos se apagavam como as derradeiras luzes de um navio soçobrando em mar encapelado no silêncio da noite... Sem esmorecimento atirei-me ao combate, não para repelir mouros na costa, mas para erguer muito alto o coração, retalhado nas pedras do caminho como um livro de experiências para os que vinham depois dos meu passos... Quando me encontrava nessa faina de semear a resignação, a primeira e a última flor dos que atravessam o deserto das incertezas da vida, a morte abeirou-se do meu leito... Adormeci nos seus braços como um ébrio nas mãos de uma deusa...

— Humberto!... Humberto!... – exclamou uma voz longínqua – recebe o que te enviam da Terra!

Arregalei os olhos com horror e com enfado:

— Não! Não quero saber de panegíricos e agora não me interessam as seções necrológicas dos jornais.

— Enganas-te – repetiu – as homenagens da convenção não se equilibram até aqui. A hipocrisia é como certos micróbios de vida muito efêmera. Toma as preces que se elevaram por ti a Deus, dos peitos sufocados, onde

---

[101] Palavras do Infinito - Francisco C. Xavier - LAKE.

penetraste com tuas exortações e conselhos. O sofrimento entornou sobre o teu coração um cântaro de mel.

Vi descer, de um ponto indeterminado do espaço, braçadas de flores inebriantes como se fossem feitas de neblina resplandescente, e escutei, envolvendo meu nome pobre, orações tecidas com suavidade e doçura...

Nossa Senhora deveria ouvi-las no seu trono de jasmins bordados de ouro, contornado pelos anjos que eternizam a sua glória...

Encontrei alguns amigos a quem apertei fraternalmente as mãos... E voltei cá. Voltei para falar com os humildes e os infortunados, confundidos na poeira da estrada das suas existências, como frangalhos de papel, rodopiando ao vento...

E posso acrescentar como o neto de Marco Aurélio, no tocante a morte que me arrebatou da prisão nevoenta da Terra:

— É minha carta de alforria... Agora posso ir onde quero.

Os amargores do mundo eram pesados demais para o meu coração..."

RESUMO DA DOUTRINA ESPÍRITA[102]

Os seres que se manifestam designaram-se a si mesmos, como dissemos, pelo nome de Espíritos ou Gênios, e dizem ter pertencido, alguns pelo menos, a homens que viveram na Terra. Constituem eles o mundo espiritual, como nós constituímos, durante a nossa vida, o mundo corporal.

Resumimos aqui, em poucas palavras, os pontos principais da Doutrina que nos transmitiram, a fim de mais facilmente respondermos a certas objeções.

Deus é eterno, imutável, imaterial, único, todo-poderoso, soberanamente justo e bom.

Criou o Universo, que compreende todos os seres animados e inanimados, materiais e imateriais.

Os seres materiais constituem o mundo visível ou corporal, e os seres imateriais o mundo invisível ou espírita, ou seja, dos Espíritos.

O mundo espírita é o mundo normal, primitivo, eterno, preexistente e sobrevivente a tudo.

O mundo corporal não é mais do que secundário, poderia deixar de existir, ou nunca ter existido, sem alterar a essência do mundo espírita.

Os Espíritos revestem, temporariamente, um invólucro material perecível, cuja destruição, pela morte, os devolve à liberdade.

---

[102] Resumo feito por Allan Kardec, codificador da Doutrina Espírita, em *O Livro dos Espíritos*, item VI da Introdução.

Entre as diferentes espécies de seres corporais, Deus escolheu a espécie humana para encarnação dos Espíritos que chegaram a um certo grau de desenvolvimento, sendo isso que lhe dá superioridade moral e intelectual perante as demais.

A alma é um Espírito encarnado, do qual o corpo não é mais que um invólucro.

Há no homem três coisas:

1) O corpo ou ser material, semelhante aos animais e animado pelo mesmo princípio vital.

2) A alma ou ser imaterial, Espírito encarnado no corpo.

3) O laço que une a alma ao corpo, princípio intermediário entre a matéria e o Espírito.

O homem tem assim duas naturezas: pelo seu corpo, participa da natureza dos animais, dos quais possui os instintos; pela sua alma, participa da natureza dos Espíritos.

O laço ou perispírito, que une o corpo e o Espírito, é uma espécie de invólucro semi-material. A morte é a destruição do invólucro mais grosseiro, a carne. O Espírito conserva o segundo, que constitui para ele um corpo etéreo, invisível para nós no seu estado normal, mas que ele pode tornar com permissão, visível e mesmo tangível, como se verifica nos fenômenos de aparição.

O Espírito não é, portanto, um ser abstrato, indefinido, que só o pensamento pode conceber. É um ser real, circunscrito, que, em certos casos, pode ser apreciado pelos nossos sentidos da vista, da audição e do tato.

Os Espíritos pertencem a diferentes classes, não sendo iguais nem em poder, nem em inteligência, nem em saber, nem em moralidade. Os da primeira ordem são os Espíritos superiores, que se distinguem dos demais pela perfeição, pelos conhecimentos e pela proximidade de Deus, a pureza dos sentimentos e o amor genuíno: são esses os anjos ou Espíritos puros. As demais classes se distanciam mais e mais desta perfeição. Os das classes inferiores são inclinados às nossas paixões: o ódio, a inveja, o ciúme, o orgulho, etc., e se comprazem no mal. No seu número, há os que não são nem muito bons, nem muito maus; antes, perturbadores e intrigantes já que a malícia e a inconsequência parecem ser as suas características; são eles os Espíritos estouvados ou levianos.

Os Espíritos não pertencem eternamente à mesma ordem. Todos se melhoram, passando pelos diferentes graus da hierarquia espírita. Esse melhoramento se verifica pela encarnação, que a uns é imposta como uma expiação e a outros como missão. A vida material é uma prova a que devem submeter-se repetidas vezes, até atingirem a perfeição; é uma espécie de peneira ou depurador, de que eles saem mais ou menos purificados.

Deixando o corpo, a alma volta ao mundo dos Espíritos, de onde havia saído para reiniciar uma nova existência material, após um lapso de tempo mais ou menos longo, durante o qual permanece no estado de Espírito errante.

Devendo o Espírito passar por muitas encarnações, conclui-se que todos nós tivemos muitas existências, e que teremos ainda outras, mais ou menos aperfeiçoadas, seja na Terra, seja em outros mundos.

A encarnação dos Espíritos verifica-se sempre na espécie humana. Seria um erro acreditar-se que a alma ou Espírito pudesse encarnar no corpo de um animal.

As diferentes existências corporais do Espírito são sempre progressivas, jamais retroagem, e a rapidez do progresso depende dos esforços que fazemos para chegar à perfeição.

As qualidades da alma são as do Espírito que encarnamos. Assim o homem de bem é a encarnação de um bom Espírito, e o homem perverso, a de um Espírito impuro.

A alma tinha a sua individualidade antes da encarnação, e a conserva após a separação do corpo.

No seu regresso ao mundo dos Espíritos, a alma reencontra todos os que conheceu na Terra, e todas as suas existências anteriores se delineiam na sua memória, com a recordação de todo o bem e todo o mal que tenha feito.

O Espírito encarnado está sob a influência da matéria. O homem que supera essa influência, pela elevação e purificação de sua alma, aproxima-se dos bons Espíritos, com os quais estará um dia. Aquele que se deixa dominar pelas más paixões, como a inveja, o orgulho, a avareza, etc., e põe todas as suas alegrias na satisfação dos apetites grosseiros, aproxima-se dos Espíritos impuros, dando preponderância à natureza animal.

Os Espíritos encarnados habitam os diferentes globos do Universo.

Os Espíritos não encarnados, ou errantes, não ocupam nenhuma região determinada ou circunscrita; estão por toda parte, no espaço e ao nosso lado, vendo-nos e acotovelando-nos sem cessar. É toda uma população invisível que se agita ao nosso redor.

Os Espíritos exercem sobre o mundo moral e mesmo sobre o mundo físico uma ação incessante. Eles agem sobre a matéria e sobre o pensamento, e constituem uma das forças da natureza, causa de uma multidão de fenômenos até agora inexplicados ou mal explicados, e que não encontram uma solução racional.

As relações dos Espíritos com os homens são constantes. Os bons Espíritos nos convidam ao bem, nos sustentam nas provas da vida e nos ajudam a suportá-las com coragem e resignação; os maus nos convidam à queda: é para eles um prazer ver-nos sucumbir e nos assemelharmos ao seu estado.

As comunicações ocultas, verificam-se pela influência boa ou má que eles exercem sobre nós, sem o sabermos, cabendo ao nosso julgamento discernir as más e boas inspirações. As comunicações ostensivas realizam-se por meio da escrita, da palavra ou outras manifestações materiais, na maioria das vezes, através de médiuns que lhes servem de instrumento.

Os Espíritos se manifestam espontaneamente ou pela evocação. Podemos evocar todos os Espíritos: os que animaram homens obscuros e os dos personagens mais ilustres, qualquer que seja a época em que tenham vivido; os de nossos parentes, de nossos amigos ou inimigos, e deles obter, por comunicações escritas ou verbais, conselhos, informações sobre a situação que se acham no espaço, seus pensamentos a nosso respeito, assim como as revelações que lhes seja permitido fazer-nos.

Os Espíritos são atraídos na razão de sua simpatia pela natureza moral do meio que os evoca. Os Espíritos superiores gostam das reuniões sérias, em que predominam o amor ao bem e o desejo sincero de instrução e melhoria. Sua presença afasta os Espíritos inferiores, que encontram, ao contrário, um livre acesso, e podem agir com inteira liberdade, entre as pessoas frívolas ou guiadas apenas pela curiosidade, e por toda parte onde encontram maus instintos. Longe de obtermos deles bons conselhos e informações úteis, nada mais devemos esperar do que futilidades, mentiras, brincadeiras de mau gosto ou mistificações, pois frequentemente se servem de nomes veneráveis para melhor nos induzirem ao erro.

    Distinguir os bons e os maus Espíritos é extremamente fácil. A linguagem dos Espíritos superiores é constantemente digna, nobre, cheia da mais alta moralidade, livre de qualquer paixão inferior; suas comunicações revelam a mais pura sabedoria, e têm sempre por alvo o nosso progresso e o bem da humanidade. A dos Espíritos inferiores, ao contrário, é inconsequente, quase sempre banal e mesmo grosseira; se dizem às vezes coisas boas e verdadeiras, dizem com mais frequência falsidades e absurdos, por malícia ou por ignorância; zombam da credulidade e divertem-se à custa dos que os interrogam, lisonjeando-lhes a vaidade e embalando-lhes os desejos com falsas esperanças. Em resumo, as comunicações sérias, na perfeita acepção do termo, não se verificam senão nos centros sérios, cujos membros estão unidos por uma íntima comunhão de pensamentos dirigidos ao bem.

    A moral dos Espíritos superiores se resume, como a do Cristo, na máxima evangélica: "Fazer aos outros o que quereríamos que os outros nos fizessem", ou seja, fazer o bem e não fazer o mal. O homem encontra nesse princípio a regra universal de boa conduta, mesmo para as menores ações.

    Eles nos ensinam que o egoísmo, o orgulho, a sensualidade são paixões que nos aproximam da natureza animal, prendendo-nos à matéria; que o homem que, neste mundo, se liberta da matéria, pelo desprezo das futilidades mundanas e o cultivo do amor ao próximo, se aproxima da natureza espiritual; que cada um de nós deve tornar-se útil, segundo as faculdades e os meios que Deus nos colocou nas mãos para nos provar; que o forte e o poderoso devem apoio ao fraco, porque aquele que abusa da sua força e de seu poder, para oprimir o seu semelhante, viola a lei de Deus. Eles ensinam, enfim, que, no mundo dos Espíritos, nada podepermanecer escondido, o hipócrita será desmascarado e todas as suas torpezas reveladas; que a presença inevitável e em todos os instantes daqueles que prejudicamos é um dos castigos que nos estão reservados; que aos estados de inferioridade e de superioridade dos Espíritos correspondem penas e alegrias que são desconhecidas na Terra. Mas eles ensinam também, que não há faltas irremissíveis que não possam ser resgatadas pela expiação. O homem encontra o meio necessário, nas diferentes existências que lhe permitem vivenciar e avançar, segundo o seu desejo e os seus esforços, na via do progresso, rumo à perfeição, que é o seu objetivo final.

BIBLIOGRAFIA

A maioria dos textos que constitui esta pequena antologia vieram de publicações da Federação Espírita Brasileira (www.febnet.org.br), as quais recomendamos ao leitor:

- **Boa Nova - Francisco Cândido Xavier/Humberto de Campos.**
No dizer dos próprios editores:
Esta obra, tão apreciada pelos espíritas, focaliza passagens evangélicas de expressiva beleza, onde Jesus com seus discípulos e outros conhecidos personagens do cristianismo nascente, como Maria Madalena, Joana de Cusa, Nicodemos, trazem lições de sabedoria ao homem atual.

Reúne 30 episódios, onde o leitor será envolvido pela ternura e encanto de personagens e situações relacionados com a presença do Cristo de Deus, entre nós, que falam sobretudo ao coração dos que trabalham pela implantação do Reino de Deus no mundo.

Neste livro, o Espírito de Humberto de Campos nos lembra que "todas as expressões evangélicas têm, entre nós, a sua história viva. Nenhuma delas é símbolo superficial. Inumeráveis observações sobre o Mestre e seus continuadores palpitam nos corações estudiosos e sinceros".

- **Memórias de um Suicida - Yvonne A. Pereira.**
Nesta obra redigida pelo escritor português Camilo Castelo Branco, revisada por Leon Denis e recebida mediunicamente por Yvonne são apresentados os sofrimentos advindos do suicídio e seu processo de recuperação; sobre seu conteúdo comenta Leon Denis no prefácio:

Que medites sobre estas páginas, leitor, ainda que duro se torne para o teu orgulho pessoal o aceitá-las! E se as lágrimas alguma vez rociarem tuas pálpebras, a passagem de um lance mais dramático, não recalcitres contra o impulso generoso de exaltar teu coração em prece piedosa, por aqueles que se estorcem nas trágicas convulsões da inconsequência de infrações às leis de Deus!

- *Parnaso de Alem-Túmulo* - **Francisco Cândido Xavier/ Espíritos Diversos.**

Contém 259 poesias ditadas por 56 poetas brasileiros e portugueses, testemunhando que a vida continua após a morte. Nele encontraremos a mesma pureza diamantina de Guerra Junqueiro, a vibração forte e candente de Castro Alves, a visão crua das vaidades humanas de Augusto dos Anjos, e tantos outros vultos que enriqueceram a língua portuguesa, mas tudo isso acrescido da amplidão que a visão após a morte proporciona.

- *Paulo e Estevão* - **Francisco Cândido Xavier/Emmanuel.**

No dizer dos próprios editores:

Emmanuel neste romance resgata a imagem de Paulo de Tarso, visto por alguns como um fariseu fanático, perseguidor de cristãos, e da então nascente doutrina cristã, apresentando-o como um ser corajoso e sincero que se arrependeu de sua postura radical, empreendeu acelerada revisão de conceitos e atendeu ao chamado de Jesus na estrada de Damasco, transformando sua vida num exemplo de trabalho, por dezenas de anos dedicados a abrir igrejas cristãs e dar-lhes assistência.

Paulo e Estevão fará você compreender como o amor apaga a multidão de faltas cometidas.

- *A Divina Epopéia* - **Bittencourt Sampaio.**

Versão em versos brancos do Evangelho segundo João por esse destacado poeta brasileiro do século XIX.

- *Volta Bocage* - **Francisco Cândido Xavier/Bocage.**

Neste pequeno livro, o grande poeta português volta do além para transmitir-nos doze belos poemas.

- *Lazaro Redivivo* - **Francisco Cândido Xavier/Irmão X.**

Este livro contém 50 mensagens de Humberto de Campos que se vale do pseudônimo de Irmão X, trazendo-nos novos ângulos do Evangelho de Jesus com sua refinada sensibilidade. Contos, crônicas, cartas abordando os mais variados temas, mas sempre sob as luzes da espiritualidade cristã.

• *Novas mensagens* - **Francisco Cândido Xavier/Humberto de Campos.**
Doze interessantíssimos textos de Humberto de Campos nos primeiros tempos de sua vida no plano espiritual onde sua fina sensibilidade nos descerra novos ângulos da vida.

• *Caminho, Verdade e Vida* - **Francisco Cândido Xavier/ Emmanuel.**
Livro que faz parte da coleção: "Vinha de Luz", "Pai Nosso", "Fonte Viva", onde o espírito Emmanuel nos apresenta um estudo sobre o novo testamento, onde são examinados em cada mensagem apenas um versículo (ou parte dele) nos revelando o sentido profundo dos ensinamentos de Jesus. Nas palavras do mesmo Emmanuel:
Muitos amigos estranhar-nos-ão talvez a atitude, isolando versículos e conferindo-lhes cor independentemente do capítulo evangélico a que pertencem. Em certas passagens, extraímos daí somente frases pequeninas, proporcionando-lhes fisionomia especial e, em determinadas circunstâncias, as nossas considerações desvaliosas parecem contrariar as disposições do capítulo em que se inspiram.
Assim procedemos, porém, ponderando que, num colar de pérolas, cada qual tem valor específico e que, no imenso conjunto de ensinamentos da Boa Nova, cada conceito do Cristo ou de seus colaboradores diretos adapta-se à determinada situação do Espírito, nas estradas da vida.

Obras citadas de outras Editoras:

• *Horto* - **Auta de Souza - Fundação José Augusto, Natal (RN).**
A destacada poetisa do Rio Grande do Norte produziu apenas este livro na sua curta e atormentada vida. Porém, é sem dúvida uma das mais belas coleções de poemas que um coração de mulher já produziu; mulher que alia nos seus escritos a dor balsamizada pela fé, erros solucionados pelo perdão, e todos esses aspectos solucionados no amor puro.

- **Momentos de Ouro** - Francisco Cândido Xavier/Espíritos Diversos - Geem, São Bernardo do Campo.

Vejamos um trecho do prefácio formulado por Bezerra de Menezes:
É por isso, leitor amigo, que te entregamos este volume sem mais preâmbulos.

Ele foi feito nos momentos dourados de amigos queridos que nos proporcionam os mais altos instantes de meditação e aprendizado, emotividade e alegria, porquanto, nestes registros da Espiritualidade Superior, transfigurados em letras do mundo, sentimo-nos envoltos em vibrações de paz – a paz indescritível que nos guia o sentimento para o encontro íntimo com Deus.

- **Mãe** - Francisco Cândido Xavier/Espíritos Diversos - Casa Editora O Clarim, Matão.

Ouçamos os comentários a respeito dessa antologia através da palavra de Wallace Leal Rodrigues, seu coordenador:
Agora este livro espírita está pronto. Ele se move no fulcro mesmo dos anseios, angústias, esperanças e reinvidicações de Anna Jarvis.[103]

Eu creio que ele encheu o seu coração vazio!

Entre cravos-brancos de preces, louvor, ternura e devoção, aqui se encontra algo que não pode ser comprado, nem vendido, que não se expõe em vitrines e nem se embrulha em papel doirado, com laços coloridos: LUZ ESPIRITUAL.

- **Rosa Mystica** - Sebastiana Botelho Egas - Edição da Autora.

Livro raro e esgotado, onde a autora colecionou 72 poemas escritos por grandes vultos da literatura brasileira e portuguesa.

---

[103] Anna Jarvis foi a criadora do "Dia das Mães". Natural de Filadélfia, Estados Unidos, com a morte da mãe iniciou uma campanha em 1905, pelo "Dia das Mães". Graças à sua eloquência e perseverança, em 1914 o congresso americano aprovava e Woodrow Wilson, presidente, sancionava uma proclamação na qual recomendava que o segundo domingo de maio (aniversário da morte da mãe de Anna), fosse observado no país inteiro como o Dia das Mães.

HISTÓRIA DA EVOLUÇÃO ESPIRITUAL DA HUMANIDADE - **TRILOGIA**

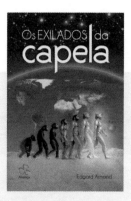

Os Exilados da Capela
Edgard Armond
16x23 cm | 192 Pág.

A formação e evolução das raças no planeta Terra. Obra extraordinária que cuida das grandes indagações dos homens acerca do início da humanidade.

Na Cortina do Tempo
Edgard Armond
14x21 cm | 128 Pág.

Sobreviventes salvos da Atlântida preservam seus conhecimentos destinados à posteridade.

Almas Afins
Edgard Armond
16x23 cm | 128 Pág.

A trajetória de Espíritos afins desde a submersa Lemúria até os dias atuais.

ROMANCES DE SAARA NOUSIAINEN

Mundo Espiritual
Perguntas & Respostas
Saara Nousiainen
14x21 cm | 256 Pág.

Obra simples, direta e elucidativa, abordando diversos temas relacionados à Doutrina Espírita, utilizando o método de perguntas e respostas.

Nós e o Mundo Espiritual
Saara Nousiainen
12x15 cm | 208 Pág.

Tudo sobre o mundo espiritual e seu interrelacionamento conosco, nos milenares processos evolutivos do ser humano e da vida. Os ensinamentos de Jesus sob nova ótica e muitas outras questões.

Um Forró no Umbral
E Outros Contos
Saara Nousiainen
14x21 cm | 160 Pág.

Com estilo leve e agradável, por vezes divertido, a autora põe na trama desses enredos verdades profundas que nem sempre são percebidas no cotidiano. Com 24 contos em que se combinam lições de vida e emoções.

ROMANCES DE NELSON MORAES

Um Roqueiro no Além
Nelson Moraes/Zílio
14x21 cm | 128 Pág.

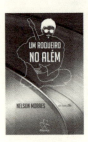

Roqueiro famoso, surpreendido pela morte prematura causada pelo uso abusivo de álcool e de drogas, se vê diante de uma realidade que jamais imaginara.

Para Onde Iremos Após a Morte?
Nelson Moraes
14x21 cm | 128 Pág.

Para onde vão as crianças? De que forma somos protegidos das "balas perdidas", dos acidentes, das enfermidades...? O Espírito Aulus através do médium Nelson Moraes, responde à interessantes perguntas.

Perdão
O Caminho da Felicidade!
Nelson Moraes/Aulus
14x21 cm | 128 Pág.

O perdão é o verdadeiro caminho da felicidade. A obra narra episódios onde incompreensão e mágoa funcionam como cárceres mentais, atravancando o progresso moral do homem.

ROMANCES MEDIÚNICOS

Amor ao Cair da Tarde
Cláudia Marum / Rodolpho
14x21 cm | 224 Pág.

Chagas de Luz
Edison Carneiro e
Manuel dos Santos Soares
16x23 cm | 320 Pág.

Uma Janela Aberta
Nadir Paes Viana/
Jair Amorim
14x21 cm | 288 Pág.

O drama de Laura encontra explicação em experiências vivenciadas em sua encarnação anterior, mostrando que, graças à lei da reencarnação, todos somos herdeiros de nossas próprias ações.

Aprenda o lado espiritual da infância, adolescência e mocidade, acompanhando Manuel que vive essas idades num leprosário. São duras fases de provas e expiações, planejadas antes do nascimento.

O amor sincero entre Judith, a jovem filha de um fazendeiro, e Benzinho, humilde servidor de seu pai, mostra que a discriminação social não consegue impedir o curso dos nobres sentimentos.

Livre para Voltar
Roberto de Carvalho/
Basílio
16x23 cm | 256 Pág.

Abençoados Resgates
Paulo Sergio Texeira Diniz
/ Clara
16x23 cm | 224 Pág.

Labirintos da Culpa
Roberto de Carvalho/
Basílio
16x23 cm | 288 Pág.

Basílio desenvolve o romance Livre para voltar, que nos mostra como os conflitos existenciais do médium podem interferir negativamente nas delicadas tarefas de assistência espiritual.

Atendendo a programação do plano espiritual um grupo de espíritos encarna na Terra com a finalidade de resgatarem débitos de vidas passadas.

Rosália acorda no plano espiritual quando seu esqueleto é encontrado às margens de uma rodovia. Socorrida numa Casa Fraterna, recorda-se de seu passado e precisa superar o remorso pelos delitos cometidos.

Campanha de Preservação da Vida
EDITORA ALIANÇA
Tema: PREVENÇÃO AO SUICÍDIO

Você nem imagina o que uma conversa pode fazer pela sua vida.

Ligue **188** 24h
www.cvv.org.br

cvv
A linha da vida

Livraria Aliança
LOJA VIRTUAL

Em nossa loja você encontra romances espíritas, literatura infanto-juvenil, obras básicas da doutrina, obras de Chico Xavier e outros autores espirituais.

Compre seus livros pelo site:

www.aliancalivraria.com.br

Ou pelo telefone:

(11) 3105 0361